Pierre Michon

Vies
minuscules

Gallimard

Pierre Michon est né en 1945, dans la Creuse. Son premier texte paraît lorsqu'il a trente-sept ans, après quelques années consacrées aux études littéraires et au théâtre. Il est l'auteur de onze livres parus principalement aux Éditions Gallimard et aux Éditions Verdier.

à Andrée Gayaudon

*Par malheur, il croit que les petites gens sont
plus réels que les autres.*

André Suarès

Vie d'André Dufourneau

Avançons dans la genèse de mes prétentions.

Ai-je quelque ascendant qui fut beau capitaine, jeune enseigne insolent ou négrier farouchement taciturne ? À l'est de Suez quelque oncle retourné en barbarie sous le casque de liège, jodhpurs aux pieds et amertume aux lèvres, personnage poncif qu'endossent volontiers les branches cadettes, les poètes apostats, tous les déshonorés pleins d'honneur, d'ombrage et de mémoire qui sont la perle noire des arbres généalogiques ? Un quelconque antécédent colonial ou marin ?

La province dont je parle est sans côtes, plages ni récifs ; ni Malouin exalté ni hautain Moco n'y entendit l'appel de la mer quand les vents d'ouest la déversent, purgée de sel et venue de loin, sur les châtaigniers. Deux hommes pourtant qui connurent ces châtaigniers, s'y abritèrent sans doute d'une averse, y aimèrent peut-être, y rêvèrent en tout cas, sont allés sous de bien différents arbres travailler et souffrir, ne pas assouvir leur rêve, aimer peut-être encore, ou simplement mourir. On m'a parlé

13

de l'un de ces hommes ; je crois me souvenir de l'autre.

Un jour de l'été 1947, ma mère me porte dans ses bras, sous le grand marronnier des Cards, à l'endroit où l'on voit déboucher soudain le chemin communal, jusque-là caché par le mur de la porcherie, les coudriers, les ombres ; il fait beau, ma mère sans doute est en robe légère, je babille ; sur le chemin, son ombre précède un homme inconnu de ma mère ; il s'arrête ; il regarde ; il est ému ; ma mère tremble un peu, l'inhabituel suspend son point d'orgue parmi les bruits frais du jour. Enfin l'homme fait un pas, se présente. C'était André Dufourneau.

Plus tard, il dit avoir cru reconnaître en moi la toute petite fille qu'était ma mère, pareillement *infans* et débile encore, quand il partit. Trente ans, et le même arbre qui était le même, et le même enfant qui était un autre.

Bien des années plus tôt, les parents de ma grand-mère avaient demandé que l'assistance publique leur confiât un orphelin pour les aider dans les travaux de la ferme, comme cela se pratiquait couramment alors, en ce temps où n'avait pas été élaborée la mystification complaisante et retorse qui, sous couvert de protéger l'enfant, tend à ses parents un miroir flatteur, édulcoré, somptuaire ; il suffisait alors que l'enfant mangeât, couchât sous un toit, s'instruisît au contact de ses aînés des quelques gestes nécessaires à cette survie dont il ferait une vie ; on supposait pour le reste que l'âge tendre suppléait à la tendresse, palliait le froid, la peine et les durs travaux qu'adoucissaient les galettes de sarrasin, la beauté des soirs, l'air bon comme le pain.

On leur envoya André Dufourneau. Je me plais à croire qu'il arriva un soir d'octobre ou de décembre, trempé de pluie ou les oreilles rougies dans le gel vif ; pour la première fois ses pieds frappèrent ce chemin que plus jamais ils ne frapperont ; il regarda l'arbre, l'étable, la façon dont l'horizon d'ici découpait le ciel, la porte ; il regarda les visages nouveaux sous la lampe, surpris ou émus, souriants ou indifférents ; il eut une pensée que nous ne connaîtrons pas. Il s'assit et mangea la soupe. Il resta dix ans.

Ma grand-mère, qui s'est mariée en 1910, était encore fille. Elle s'attacha à l'enfant, qu'elle entoura assurément de cette fine gentillesse que je lui ai connue, et dont elle tempéra la bonhomie brutale des hommes qu'il accompagnait aux champs. Il ne connaissait ni ne connut jamais l'école. Elle lui apprit à lire, à écrire. (J'imagine un soir d'hiver ; une paysanne jeunette en robe noire fait grincer la porte du buffet, en sort un petit cahier perché tout en haut, « le cahier d'André », s'assied près de l'enfant qui s'est lavé les mains. Parmi les palabres patoises, une voix s'anoblit, se pose un ton plus haut, s'efforce en des sonorités plus riches d'épouser la langue aux plus riches mots. L'enfant écoute, répète craintivement d'abord, puis avec complaisance. Il ne sait pas encore qu'à ceux de sa classe ou de son espèce, nés plus près de la terre et plus prompts à y basculer derechef, la Belle Langue ne

15

donne pas la grandeur, mais la nostalgie et le désir de la grandeur. Il cesse d'appartenir à l'instant, le sel des heures se dilue, et dans l'agonie du passé qui toujours commence, l'avenir se lève et aussitôt se met à courir. Le vent bat la fenêtre d'un rameau décharné de glycine ; le regard effrayé de l'enfant erre sur une carte de géographie.) Il n'était pas dépourvu d'intelligence, sans doute disait-on qu'il « apprenait vite » ; et, avec le bon sens lucide et intimidé des paysans de jadis qui rapportaient les hiérarchies intellectuelles aux hiérarchies sociales, mes aïeux, sur de vagues indices, élaborèrent pour rendre compte de ces qualités incongrues chez un enfant de sa condition une fiction plus conforme à ce qu'ils tenaient pour le vrai : Dufourneau devint le fils naturel d'un hobereau local, et tout rentra dans l'ordre.

Nul ne sait plus s'il fut instruit de cette ascendance fantasmatique, issue de l'imperturbable réalisme social des humbles. Il importe peu : s'il le fut, il en conçut de l'orgueil et se promit de reconquérir ce dont, sans qu'il l'eût jamais eu, la bâtardise l'avait spolié ; s'il ne le fut pas, une vanité prit possession de ce paysan orphelin élevé dans un vague respect peut-être, des égards inusités assurément, qui lui parurent d'autant plus mérités qu'il en ignorait la cause.

Ma grand-mère se maria ; elle était son aînée d'à peine dix ans, et peut-être l'adolescent qu'il était déjà en souffrit-il. Mais mon grand-père, je le dirai, était jovial, accueillant, bon prince et paysan médiocre ; quant à l'enfant, je crois avoir entendu ma grand-mère le dire, il était plaisant. Sans doute les deux jeunes hommes s'aimèrent-ils, le gai vainqueur du moment aux moustaches jaunes, et l'autre, l'imberbe, le taciturne, l'appelé en secret qui attendait son heure; l'élu impatient de la femme et l'élu calmement crispé d'un destin plus grand que la femme; celui qui plaisantait, et celui qui attendait que la vie lui permît de plaisanter; l'homme de terre et l'homme de fer, sans préjudice de leur force respective. Je les vois partir pour la chasse; leurs haleines dansent un peu puis sont avalées par la brume, leurs silhouettes s'effacent avant l'orée du bois; je les entends aiguiser leurs faux, debout dans l'aube de printemps, puis ils marchent et l'herbe se couche, et l'odeur croît avec le jour, s'exaspère avec le soleil; je sais qu'ils s'arrêtent quand vient midi. Je connais les arbres sous lesquels ils mangent et parlent, j'entends leurs voix mais je ne les comprends pas.

Puis une petite fille naquit, la guerre vint, mon grand-père partit. Quatre années passèrent, pendant lesquelles Dufourneau acheva de devenir un homme; il prit la petite fille dans ses bras; il courut avertir Élise que le facteur prenait le chemin de la ferme, amenant une des lettres, ponctuelles et appliquées, de Félix; le soir à la lampe, il pensa aux provinces lointaines où le fracas des batailles rasait des villages qu'il dotait d'un nom glorieux, où il y avait des vainqueurs et des vaincus, des généraux et des soldats, des chevaux morts et des villes imprenables. En 1918, Félix revint avec des armes allemandes, une pipe en écume, quelques rides et un vocabulaire plus étendu qu'à son départ. Dufourneau eut à peine le temps de l'écouter : on l'appelait au service militaire.

Il vit une ville ; il vit les chevilles des femmes d'officiers quand elles montent en voiture ; il entendit de jeunes hommes qui effleuraient de leurs moustaches l'oreille de belles créatures faites de rires et de soie : c'était la langue qu'il tenait d'Élise, mais elle paraissait une autre tant ses indigènes en connaissaient les pistes, les échos, les rouertes. Il sut qu'il était un paysan. Rien ne nous apprendra comment il souffrit, dans quelles circonstances il fut ridicule, le nom du café où il s'enivra.

Il voulut étudier, dans la mesure où les servitudes militaires le lui permettaient, et il semble qu'il y parvint, car c'était un bon garçon, capable, disait ma grand-mère. Il toucha des manuels d'arithmétique, de géographie ; il les serra dans son paquetage qui sentait le tabac, le jeune homme pauvre ; il les ouvrit et connut la détresse de qui ne comprend pas, la révolte qui passe outre, et, au terme d'une alchimie ténébreuse, le pur diamant d'orgueil dont l'entendement éclaire, le temps d'un souffle, l'esprit toujours opaque. Est-ce un homme, un livre, ou, plus poétiquement, une affiche de propagande de la Marsouille, qui lui révéla l'Afrique ? Quel hâbleur de sous-préfecture, quel mauvais roman enlisé dans les sables ou perdu en forêt sur d'interminables fleuves, quelle gravure du *Magasin pittoresque* où des hauts-de-forme luisants, noirs comme elles et comme elles surnaturels, passaient triomphalement entre de luisantes faces, fit miroiter à ses yeux le

18

continent sombre ? Sa vocation fut ce pays où les pactes enfantins qu'on passe avec soi-même pouvaient encore, en ce temps-là, espérer d'accomplir d'éblouissantes revanches pourvu que l'on acceptât de s'en remettre au dieu hautain et sommaire du « tout ou rien » ; c'était là-bas qu'Il jouait aux osselets, dispersait les quilles indigènes et éventrait les forêts sous la boule de plomb d'un énorme soleil, misait et perdait cent têtes d'ambitieux couvertes de mouches sur les remparts d'argile des cités sahariennes, sortait avec éclat de Sa manche un brelan de rois blancs et, empochant Ses dés pipés d'ivoire et d'ébène ensachés de buffle, disparaissait dans les savanes, en pantalon garance et casque blanc, mille enfants perdus dans son sillage.

Sa vocation fut l'Afrique. Et j'ose croire un instant, sachant qu'il n'en fut rien, que ce qui l'y appela fut moins l'appât grossier de la fortune à faire qu'une reddition inconditionnée entre les mains de l'intransitive Fortune ; qu'il était trop orphelin, irrémédiablement vulgaire et non né pour faire siennes les dévotes calembredaines que sont l'ascension sociale, la probation par un caractère fort, la réussite acquise qu'on doit au seul mérite ; qu'il partit comme jure un ivrogne, émigra comme il tombe. J'ose le croire. Mais parlant de lui, c'est de moi que je parle ; et je ne désavouerais pas davantage ce qui fut, j'imagine, le mobile majeur de son départ : l'assurance que là-bas un paysan devenait un Blanc, et, fût-il le dernier des fils mal nés, contrefaits et répudiés de la langue-mère, il était plus près de ses jupes qu'un Peul ou un Baoulé ; il la parlerait haut et en lui elle se reconnaîtrait, il l'épouserait « du côté des jardins de palmes, chez un peuple fort doux » devenu peuple d'esclaves sur qui asseoir ces épousailles ; elle lui donnerait, avec tous les autres pouvoirs, le seul pouvoir qui vaille : celui qui noue toutes les voix quand s'élève la voix du Beau Parleur.

Son temps de service fini, il revint aux Cards — peut-être était-ce en décembre, peut-être y avait-il de la neige, épaisse sur le mur du fournil, et mon grand-père, qui dégageait les chemins à la pelle, le vit-il venir, de loin, leva la tête en sou-riant, chantonnant à part soi jusqu'à ce qu'il fût à sa hauteur — et annonça sa décision de partir, outre-mer comme on disait alors, dans le bleu brusque et le lointain irrémédiable : on saute le pas dans la couleur et la violence, on met son passé derrière la mer. Le but avoué était la Côte-d'Ivoire ; un autre, flagrant aussi, la convoitise : cent fois, j'ai entendu ma grand-mère évoquer la superbe avec laquelle il aurait déclaré que « là-bas il deviendrait riche, ou mourrait » — et j'imagine aujourd'hui, ressuscitant le tableau que ma roma-nesque grand-mère avait tracé pour elle seule, redistribuant les données de sa mémoire autour d'un schème plus noble et bonnement dramatique qu'un réel pauvre dont l'aveu de roture l'eût lésée, tableau qui dut vivre en elle jusqu'à sa mort et s'orner de couleurs d'autant plus riches que la scène première, avec le temps et la surcharge du souvenir reconstruit, disparaissait — j'imagine une composition dans la manière de Greuze, quelque

« départ de l'enfant avide » nouant son drame dans la grande cuisine paysanne que la fumée boucane comme un jus d'atelier et où, dans un grand souffle d'émoi qui défait les châles des femmes et exhausse les mains d'hommes frustes dans une gesticulation muette, André Dufourneau, fièrement campé contre une huche, le mollet saillant dans des bandes molletières ajustées et blanches comme un bas dix-huitième, tend de tout son bras une paume ouverte vers la fenêtre inondée de pâte outremer. Mais c'était sous de bien différents traits que je concevais, enfant, ce départ. « J'en reviendrai riche, ou y mourrai » : cette phrase pourtant bien indigne de mémoire, j'ai dit que cent fois ma grand-mère l'avait exhumée des ruines du temps, avait de nouveau éployé dans l'air son bref étendard sonore, toujours neuf, toujours d'hier ; mais c'était moi qui le lui demandais, moi qui voulais entendre encore ce poncif de ceux qui partent : le pavillon qu'à mes yeux il faisait claquer dans le vent, aussi explicite que l'idéogramme aux tibias croisés des Frères de la Côte, proclamait l'inévitable second terme de la mort et la soif fictive de richesses qu'on ne lui oppose que pour mieux s'y abandonner, le perpétuel futur, le triomphe des destins qu'on hâte en s'insurgeant contre eux. Je frissonnais alors du même frisson que celui qui me poignait à la lecture des poèmes pleins d'échos et de massacres, des éblouissantes proses. Je le savais : je touchais là quelque chose de semblable. Et sans doute ces mots, prononcés non sans complaisance par un être désireux de souligner la gravité de l'heure, mais trop mal instruit pour savoir la décupler en feignant de la terrasser sous un « bon mot », et donc réduit, pour en marquer l'insolite, à puiser dans un répertoire qu'il croyait noble, étaient bien en cela « littéraires », certes ; mais il y avait bien davantage : il y avait la formulation, redondante, essentielle et sommairement burlesque — et, à ma connaissance, une des premières fois dans ma vie — d'une de ces destinées qui furent les sirènes de mon enfance et au chant desquelles pour finir je me livrai, pieds et poings liés, dès l'âge de raison ; ces mots m'étaient une Annonciation et comme une Annoncée, j'en frémissais sans en pénétrer le sens ; mon avenir s'incarnait, et je ne le reconnaissais pas ; je ne savais pas que l'écriture était un continent plus ténébreux, plus aguicheur et décevant que l'Afrique, l'écrivain une espèce plus avide de se perdre que l'explorateur ; et, quoiqu'il explorât la mémoire et les bibliothèques mémorieuses en lieu de dunes et forêts, qu'en revenir cousu de mots comme d'autres le sont d'or ou y mourir plus pauvre que devant — en mourir — était l'alternative offerte aussi au scribe.

Le voilà parti, André Dufourneau. « Ma journée est faite ; je quitte l'Europe. » L'air marin, déjà, surprend les poumons de cet homme de l'intérieur. Il regarde la mer. Il y voit les vieux de la campagne perdus sous leur casquette et des femmes toutes noires et nues à lui offertes, les travaux qui font les mains terreuses et les bagues énormes aux doigts des rastaquouères, le mot « bungalow » et les mots « jamais plus » ; il y voit ce qu'on désire et ce qu'on regrette ; il y voit infiniment miroiter la lumière. Il est accoudé au bastingage, assurément : immobile, les yeux vagues et posés sur cet horizon de visions et de clarté, le vent de mer comme une main de peintre romantique défaisant ses cheveux, drapant à l'antique sa veste de coton noir. L'occasion est belle pour tracer de lui le portrait physique que j'ai différé : le musée familial en a conservé un, où il est photographié en pied, dans le bleu horizon de l'infanterie ; les bandes molletières qui le guêtrent m'ont permis tout à l'heure de l'imaginer en bas Louis XV ; les pouces sont passés dans le ceinturon, la poitrine cambrée, et la pose est celle, fière, au menton relevé, qu'affectionnent les hommes petits. Allons, c'est bien à un écrivain qu'il ressemble : il existe un portrait du jeune Faulkner, qui comme lui était petit, où je reconnais cet air hautain à la fois et ensommeillé, l'œil pesant mais d'une gravité fulgurante et noire, et, sous une moustache d'encre qui jadis déroba la crudité de la lèvre vivante comme le fracas tu sous la parole dite, la même bouche amère et qui préfère sourire. Il s'éloigne du pont, s'allonge sur sa couchette, y écrit les mille romans dont est fait l'avenir et que l'avenir défait ; il vit les jours les plus pleins de sa vie ; l'horloge des roulis contrefait celle des heures, du temps passe et de l'espace varie, Dufourneau est vivant comme ce dont il rêve ; il est mort depuis longtemps ; je n'abandonne pas encore son ombre.

Ce regard qui trente ans plus tard se posera sur moi effleure la côte d'Afrique. On aperçoit Abidjan au fond de sa lagune qu'éreintent les pluies. La barre à Grand-Bassam, que vit et décrivit Gide, est une image de l'ancien *Magasin pittoresque*; l'auteur de *Paludes* prête sagement au ciel son traditionnel aspect de plomb; mais la mer sous sa plume fait image, couleur de thé. Avec d'autres voyageurs que l'histoire oublia, Dufourneau doit pour franchir le mascaret s'élever au-dessus des flots, suspendu dans une balancelle que meut une grue. Puis les gros lézards gris, les petites chèvres et les fonctionnaires de Grand-Bassam; les formalités portuaires et, passé la lagune, la piste vers l'intérieur où naissent, dans la même incertitude, les petites comme les grandes anabases, les éclatants désirs au sein du réel terne : les palmiers doums où dorment des serpents d'or et de glu, l'averse grise sur les arbres gris, les essences hérissées de mauvaises épines et de noms somptueux, les hideux marabouts qu'on dit sages et la palme mallarméenne trop concise pour abriter du soleil, des pluies. La forêt enfin se referme comme un livre : le héros est livré à la chance, son biographe à la précarité des hypothèses.

Après un long silence, une lettre arriva aux Cards, dans les années trente. Le même facteur manchot l'apporta, que Dufourneau jadis guettait au bout du pré, pendant la guerre et l'enfance. (Je l'ai moi-même connu, retraité dans une petite maison blanche, près du cimetière du bourg; taillant des rosiers dans un jardin minuscule, il parlait haut et volontiers, avec un grasseyement joyeux.) Et sans doute était-ce au printemps, les draps aujourd'hui en poussière fumaient au soleil, les chairs décomposées souriaient dans l'allégresse de mai; et sous les grappes violemment tendres des lilas, ma mère de quinze ans s'inventait une enfance enfuie déjà. Elle n'avait pas souvenir de l'auteur de la lettre; elle vit ses parents émus jusqu'aux larmes; elle-même, dans la senteur et l'ombre violettes, sacerdotales comme le passé, fut envahie d'une émotion touffue, littéraire, délicieuse.

D'autres lettres vinrent, annuelles ou bisannuelles, retraçant d'une vie ce qu'en voulait dire son protagoniste, et que sans doute il croyait avoir vécu: il avait été employé forestier, « coupeur de bois », planteur enfin; il était riche. Je n'ai jamais rêvé sur ces lettres, au timbre et au cachet rares — Kokombo, Malamalasso, Grand-Lahou —, qui ont disparu; je crois lire ce que je n'ai jamais lu: il y parlait d'événements infimes et de bonheurs nains, de la saison des pluies et des menaces de guerre, d'une fleur métropolitaine dont il avait réussi la greffe; de la paresse des Noirs, de l'éclat des oiseaux, de la cherté du pain; il y était bas et noble; il assurait de ses meilleurs sentiments.

Je pense aussi à ce dont il ne parlait pas: quelque insignifiant secret jamais dévoilé — non par pudeur sans doute mais, ce qui revient au même, parce que le matériel langagier dont il disposait était trop réduit pour faire état de l'essentiel, et trop intraitable son orgueil pour qu'il

25

permît à l'essentiel de s'incarner en des mots humblement approximatifs —, quelque débauche de l'esprit autour d'un dérisoire appareil, une délectation honteuse en tout ce qui lui manquait. Nous le savons, car la loi est telle : il n'eut pas ce qu'il voulait ; il était trop tard pour avouer : à quoi bon faire appel, lorsqu'on sait que la peine sera perpétuelle, qu'il n'y aura plus d'ajournement ni de seconde chance ?

Enfin ce jour de 1947 : de nouveau le chemin, l'arbre, le ciel d'ici et la découpe des arbres sur cet horizon-ci, le petit jardin aux giroflées. Le héros et son biographe se rencontrent sous le marronnier, mais comme il arrive toujours, l'entrevue est un fiasco : le biographe est au berceau et ne conservera aucun souvenir du héros ; le héros ne voit dans l'enfant qu'une image de son propre passé. Si j'avais eu dix ans, sans doute l'eussé-je vu sous la pourpre d'un roi mage, posant avec une réserve hautaine sur la table de la cuisine les denrées rares et magiques, café, cabosses, indigo ; si j'en avais eu quinze, il eût été « le féroce infirme retour des pays chauds » qu'aiment les femmes et les poètes adolescents, l'œil de feu dans la peau sombre, de verbe et de poigne furieuse ; hier encore, et pour peu qu'il fût chauve, j'aurais pensé que « la sauvagerie l'avait caressé sur la tête », comme le plus brutal des coloniaux de Conrad ; aujourd'hui, quel qu'il soit et quoi qu'il dise, j'en penserais ce que je dis ici, rien de plus, et tout reviendrait au même.

Je peux bien sûr m'attarder sur ce jour, dont je fus témoin, dont je n'ai rien vu. Je sais que Félix ouvrit plusieurs bouteilles — sûre alors, sa main empoignait bien le tire-bouchon, avec dextérité déclenchait le joli bruit —, qu'il fut heureux dans les vapeurs du vin, de l'amitié et de l'été ; qu'il parla beaucoup, en français pour interroger son hôte sur les lointains pays, en patois pour évoquer des souvenirs ; que son petit œil bleu pétilla de sentimentalité narquoise, que l'émotion çà et là et le goût du passé brisèrent un mot dans sa bouche. Je me doute qu'Élise écouta, les mains posées dans son giron au creux du tablier, qu'elle regarda beaucoup et avec un étonnement jamais apaisé l'homme fait sous les traits duquel elle cherchait un petit garçon qu'une expression brève parfois lui restituait, une façon de couper son pain, d'attaquer une phrase, de suivre des yeux par la fenêtre l'éclair d'un vol, d'un rayon. Je sais que les phrases patoises revinrent sans qu'il y songeât épouser les pensées de Dufourneau (ce qui n'avait peut-être jamais cessé d'être) et les produire dans le jour sonore (ce qui n'était plus depuis longtemps). Ils parlèrent des vieux défunts, des déboires agronomiques de Félix, avec gêne de mon père enfui ; la glycine de la façade était en fleur, ce jour déclina comme tous les autres ; ils se souhaitèrent au soir un revoir qui ne sera jamais. Quelques jours plus tard, Dufourneau repartit pour l'Afrique.

Il y eut une lettre encore, accompagnée d'un envoi de quelques paquets de café vert — j'en ai longuement touché les grains, je les ai fait rouler souvent hors de leur gros emballage de papier brun, rêveusement, quand j'étais enfant ; il ne fut jamais torréfié. Ma grand-mère parfois, rangeant le rayon reculé de l'armoire où il était serré, disait : « Tiens, le café de Dufourneau » ; elle le regardait un peu, son œil variait, puis : « Il doit être encore bon », ajoutait-elle, mais avec le ton dont elle eût dit : « nul n'y goûtera jamais » ; il était le précieux alibi de ce souvenir, de cette parole ; il était image pieuse ou épitaphe, rappel à l'ordre pour la pensée trop prompte à l'oubli, tout enivrée qu'elle est et détournée d'elle-même par le tintamarre des vivants ; brûlé et consommable, il eût déchu, profane, dans une odorante présence ; éternellement vert et arrêté en un point prématuré de son cycle, il était chaque jour davantage d'hier, de l'au-delà, d'outre-mer ; il était de ces choses qui font changer le timbre de la voix lorsqu'on en parle : il était effectivement devenu le cadeau d'un roi mage.

Ce café et cette lettre furent les derniers signes de la vie de Dufourneau. Un définitif silence y succéda, que je ne peux et ne veux interpréter que par la mort.

Quant à la façon dont frappa la Marâtre, les conjectures peuvent être infinies ; je pense à une Land-Rover renversée dans un sillon de latérite couleur sang, où le sang est de peu de trace ; à un missionnaire précédé d'un enfant de chœur dont le surplis blanc cerne aimablement le visage de suie, entrant dans la paillote où le maître râle les dernières mesures d'une vaste fièvre ; je vois une crue charriant ses noyés, un compagnon d'Ulysse endormi glissant d'un toit et s'écrasant sans s'éveiller tout à fait, un hideux serpent à robe de cendre que le doigt effleure et aussitôt la main enfle, le bras. Je me demande si, à l'heure extrême, il pensa à cette maison des Cards à laquelle en cet instant, je pense.

L'hypothèse la plus romanesque — et, j'aimerais le croire, la plus probable — m'a été soufflée par ma grand-mère. Car elle « avait son idée » là-dessus, qu'elle n'a jamais tout à fait avouée, mais laissait volontiers entendre ; elle éludait mes questions pressantes sur la mort de l'enfant prodigue, mais rappelait l'inquiétude avec laquelle il avait évoqué l'atmosphère de mutinerie qui régnait alors dans les plantations — et à cette date, en effet, les premières idéologies nationalistes indigènes devaient émouvoir ces hommes misérables, courbés sous le joug blanc vers un sol dont ils ne goûtaient pas les fruits ; puérilement sans doute, mais non sans quelque vraisemblance, Élise pensait en secret que Dufourneau avait succombé de la main d'ouvriers noirs, qu'elle se représentait sous les traits d'esclaves d'un autre siècle mâtinés de pirates jamaïcains tels qu'ils figurent sur les bouteilles de rhum, trop éclatants pour être pacifiques, sanglants comme leurs madras, cruels comme leurs bijoux.

Enfant crédule, j'ai partagé les vues de ma grand-mère ; je ne les renierai pas aujourd'hui. Élise, qui avait posé les prémisses du drame en enseignant l'orthographe à Dufourneau, en l'aimant comme une mère quoiqu'elle se sût une pos-

sible épouse, qui avait noué le destin du petit rotu-
rier en lui laissant entendre que ses origines
n'étaient peut-être pas ce qu'elles paraissaient
et que les apparences étaient donc réversibles,
Élise qui avait été la confidente recueillant le défi
orgueilleux du départ et la sibylle le reversant dans
l'oreille des générations futures, Élise devait aussi
écrire le dénouement du drame ; et elle s'en acquittait avec justesse. Cette fin qu'elle avait arrêtée
ne démentait pas la cohérence psychologique
de son héros : elle savait que, comme tous ceux
qu'on n'appelle « parvenus » que parce qu'ils ne
parviennent pas davantage à faire oublier leurs
origines à autrui qu'à eux-mêmes, et qui sont
des pauvres exilés chez les riches sans espoir de
retour, Dufourneau avait sans doute été d'autant
plus impitoyable envers les humbles qu'il se défen-
dait de reconnaître en eux l'image de ce qu'il
n'avait jamais cessé d'être ; ces travaux de nègres
s'enfouissant avec la graine et peinant avec la sève
vers le fruit, ces bottes de boue que le soc vous
verse, cet air inquiet quand vient l'orage ou
l'homme en cravate, tout cela jadis avait été son
lot, et il l'avait aimé peut-être, comme on aime ce
qu'on connaît ; cette incertitude d'un langage
mutilé qui ne sert qu'à dénier les accusations et
parer les coups, avait été sienne ; pour fuir ces travaux qu'il aimait et ce langage qui l'humiliait,
il était venu si loin ; pour nier avoir jamais aimé
ou craint ce que ces nègres aimaient et craignaient,
il abattait la chicotte sur leurs dos, l'injure à leurs
oreilles ; et les nègres, soucieux de rétablir la

balance des destins, lui arrachèrent une ultime terreur équivalant leurs mille effrois, lui firent une
dernière plaie valant pour toutes leurs plaies et,
éteignant à jamais ce regard horrifié dans l'instant qu'il s'avouait enfin semblable aux leurs, le
tuèrent.

Cette façon de concevoir son trépas s'harmonise
plus sournoisement encore avec le peu que je sais
de sa vie ; de la version d'Élise, se dégageait une
autre unité que celle du comportement, une cohérence plus sombre, quasi métaphysique et antique
presque. C'était l'écho sarcastique et déformé
d'une parole, comme la vie l'est d'un désir : « J'y
deviendrai riche, ou y mourrai » ; cette alternative
fanfaronne avait été réduite sur le livre des dieux à
une seule proposition : il y était mort de la main
même de ceux dont le travail l'enrichissait ; il s'y
était enrichi d'une mort somptueuse, sanglante
comme celle d'un roi qu'immolent ses sujets ; il n'y
fut riche que d'or, et en mourut.

Hier encore peut-être, quelque vieillarde assise
sur le pas de sa porte à Grand-Bassam se souvenait
du regard d'épouvante d'un Blanc quand miroitèrent les lames, du peu de poids de son cadavre
dont on retira les lames ternies ; elle est morte
aujourd'hui ; et morte aussi Élise, qui se souvenait
du premier sourire d'un petit garçon quand on lui
tendit une pomme bien rouge, vernie sur le tablier ;
une vie sans conséquence a coulé entre pomme et
machette, chaque jour davantage émoussant le
goût de l'une et aiguisant le tranchant de l'autre ;
qui, si je n'en prenais ici acte, se souviendrait

d'André Dufourneau, faux noble et paysan per-
verti, qui fut un bon enfant, peut-être un homme
cruel, eut de puissants désirs et ne laissa de trace
que dans la fiction qu'élabora une vieille paysanne
disparue ?

Vie d'Antoine Peluchet

à Jean-Benoît Puech

À Mourioux dans mes premiers âges, il arrivait lorsque j'étais malade ou seulement inquiet, que ma grand-mère pour me divertir allât chercher les Trésors. J'appelais ainsi deux boîtes de fer-blanc naïvement peintes et cabossées qui avaient jadis contenu des biscuits, mais qui recelaient alors de tout autres nourritures : ce qu'en tirait ma grand-mère, c'était des objets dits précieux et leur histoire, de ces bijoux transmis qui sont mémoires aux petites gens. Des généalogies compliquées pendaient avec des breloques aux chaînettes de cuivre ; des montres étaient arrêtées sur l'heure d'un ancêtre ; parmi des anecdotes courant sur les grains d'un chapelet, des pièces portaient, avec le profil d'un roi, le récit d'un don et le nom manant du donateur. Le mythe inépuisable authentifiait son gage limité ; le gage luisait faiblement au creux de la main d'Élise, dans son tablier noir, améthyste ébréchée ou bague sans chaton ; le mythe que déversait benoîtement sa bouche suppléait le chaton des bagues et épurait l'eau des pierres, prodiguait toute la joaillerie verbale qui éclate dans les étranges noms propres des aïeux, dans la centième variante d'une histoire qu'on connaît, dans les motifs obscurs des mariages, des morts.

Au fond d'une de ces boîtes, pour moi, pour Élise, pour nos secrètes palabres, il y avait la Relique des Peluchet.

C'était le trésor le plus anodin et le plus précieux. Élise manquait rarement de le produire après tous les autres, comme le mieux-aimé des Lares ; et, comme tel, il était plus que les autres archaïque, simplet, d'un art rude et nu. Son apparition me causait, avec une trouble attente, une sorte de malaise et une poignante pitié. J'avais beau le regarder : il n'était pas à la hauteur du récit profus qu'il déterminait chez Élise ; mais son insignifiance le faisait déchirant, comme ce récit : dans l'un et l'autre, l'insuffisance du monde devenait folle. Quelque chose s'y dérobait sans cesse, que je ne savais lire, et je pleurais ma défectueuse lecture : quelque mystère s'y éclipsait d'un saut de puce, y avouait l'allégeance divine à ce qui fuit, s'amenuise et se tait. Je ne voulais pas que cela fût ; ma main lâchait peureusement la relique, se blottissait dans les mains d'Élise ; la gorge nouée, suppliant, je cherchais ses yeux. Peine perdue : elle parlait, les yeux requis au loin par on ne savait quoi, que j'avais peur de voir ; et c'était aussi de dérobades qu'elle parlait, des corps disparaissants et de nos âmes toujours en fuite, des absences visibles dont nous suppléons l'absentéisme des êtres chers, leur défection dans la mort, dans l'indifférence et les départs ; ce vide qu'ils laissent, elle le fécondait des mots pressés, jubilants et tragiques que le vide aspire comme le trou d'une ruche attire l'essaim, et qui dans le vide prolifèrent ; elle créait de nouveau, pour elle-même, pour son petit témoin et pour un dieu dédommageant qui peut-être tendait l'oreille, pour tous ceux aussi qui dans les larmes avaient à ce jour tenu cet objet, elle fondait et consacrait, éternellement, comme l'avaient fait ses mères avant elle et comme je vais le faire ici une dernière fois, la sempiternelle relique.

Les Peluchet ont disparu avec le précédent siècle ; le dernier, à ma connaissance, fut Antoine Peluchet, fils perpétuel et perpétuellement inachevé, qui emporta au loin son nom et l'y perdit. Ce nom tombé en désuétude, la relique l'a porté jusqu'à moi : objet des femmes et relais de l'une à l'autre transmis, elle pallie l'insuffisance des mâles et confère au plus stérile d'entre eux une manière d'immortalité, qu'une besogneuse descendance paysanne, pressée de mourir et d'oublier, ne lui eût certes pas assurée.

Antoine s'évanouit et devint un rêve, on apprendra lequel. Il avait une sœur aînée, dont ce récit ne parlera pas, car Élise n'en parlait pas ; j'ignore le prénom de cette sœur sacrifiée, comme j'ignore le nom du croquant qu'elle épousa ; mais je sais que ces deux-là n'eurent qu'une fille, qu'ils appelèrent Marie et qui épousa un Pallade. Ces Pallade engendrèrent deux filles à leur tour : l'une, Catherine, mourut sans descendance (j'ai connu cette ancêtre) ; l'autre, Philomène, épousa Paul Mouricaud, des Cards, dont elle conçut la seule Élise, ma grand-mère ; celle-ci, de son commerce avec Félix Gayaudon, ne mit au monde que ma mère, qui accoucha d'une fille bientôt morte, et de moi. Voilà ce qui me touche : dans cette longue théorie d'héritières, filles uniques et sages en sarrau sous leur petit béguin, je suis le premier homme à posséder la relique depuis Antoine qui s'en déposséda, mais dont elle conserve le nom ; parmi toutes ces chairs de femmes, je suis l'ombre de cette ombre ; depuis si longtemps — un siècle est passé là — je suis le plus près d'être son fils. Par-dessus tant d'épousées en couches et d'aïeules enterrées, nous nous faisons signe peut-être : nos destins diffèrent peu, nos vouloirs sont sans trace, notre œuvre n'est pas.

La relique est une petite Vierge à l'enfant en biscuit, souverainement inexpressive sous un boîtier de verre et de soie qui recèle, dans un double fond cacheté, les restes infimes d'un saint. Cet objet suivit jusqu'à moi la filière que j'ai dite, et épousa tous ces noms ; et tous les noms que j'ai dits sont attestés ici et là par les stèles des cimetières de Chatelus, Saint-Goussaud, Mourioux, invariables sous le grand soleil et dans le gel des nuits ; et toutes les chairs variables qui habitèrent ces noms en appelèrent à la relique quand elles durent en découdre avec l'essentiel, quand dans son nid vivant l'être se heurte à lui-même et de ce heurt paraît ou disparaît, quand il faut naître et mourir. Car la relique est un gri-gri. On la porta sur leur lit d'agonie (c'était dans la chaleur affairée des moissons au-dehors, les hommes en chemise ensuée rentrant pour pleurer un instant près du moribond puis ressortant dans l'effort sous le ciel, la paille et sa poussière, l'abus de vin qui décuple les larmes ; ou dans l'hiver triste, quand la mort est banale, nue, de peu de goût), on la porta avant que le rien l'emporte, ils la regardèrent avant de sombrer, l'œil effaré des uns comme l'œil coi des autres, l'embrassèrent ou la maudirent, Marie qui rendit l'âme sans un mot et Élise qui sous mes yeux atermoya trois nuits, et leurs époux à toutes, tremblants et gouailleurs, qui même sans le souffle bavardèrent pour nier encore que l'instant fût venu ; les mains qui n'étreignaient plus que la pâleur et le spasme l'étreignaient pourtant ; et l'empoignaient les mauvaises griffes d'outre-tombe déjà, vicieuses et inertes comme le clou enfoui, mais encore d'ici comme les derniers mots et l'espoir inexorable. Et le même impavide objet les avait accueillis quand, non moins terrifiés et de toutes leurs forces refusant, ils étaient sortis du flanc de leur mère (quand la moisson flambe en août, ou dans le triste hiver) ; car la relique aidait les femmes dans leur travail d'enfant, lorsque le nom à grands cris se perpétue. Pas un cri grêle de créature nouvellement apparue dans l'hébétude et le tremblement, dans le secret de petites chambres aux linges trempés où une jeune fille cessait de l'être encore une fois, auquel la relique n'ait présidé, triturée par la mère et salie par l'enfant, poupée toujours vierge et baignée de sueur, énigmatique et réconfortante. Marie l'étreignit et cria (et sa mère

Juliette avant elle) jusqu'à ce que la petite Philomène expulsée criât à son tour, sans nom encore ni
visage; et vingt ans après, Philomène l'étreignit et
cria d'un cri à peine différent, et ce qui était bien
près d'être Élise cria; et Élise vingt ans plus tard et
la petite Andrée, et celle-ci un quart de siècle après,
et moi-même enfin, qui ne relancerai pas la ronde.

Pas plus que ne devait la relancer Antoine, fils
de Toussaint Peluchet et de Juliette qui en accou-
chait dans les larmes, vers 1850.

Il naquit au Châtain. C'est un lieu touffu mais
pierreux, de vipères, de digitales et de blé noir, et
les fougères y sont hautes sous des arceaux
d'ombre bleue. Des fenêtres du hameau, l'enfant
dès qu'il sut voir vit le clocher surbaissé de Saint-
Goussaud, que les mousses rongent et vivifient, et
sous le porche duquel un saint nourricier de bois
peint veille, sa chasuble ingénue d'ancien diacre
balayant le flanc noir d'un taureau couché que les
gens d'ici appellent le Petit Bœuf, et révèrent : le
diacre est le bon Goussaud, ermite vers l'an mille,
pâtre exalté ou scholiaste intraitable, fondateur; la
robe du taureau est piquée des mille épingles que
les filles rieuses, éplorées, maladroites, y plantent
en faisant vœu de trouver l'amour, les femmes,
d'une main plus sûre et déjà lasse, en souhaitant
d'engendrer. Comme moi, Antoine enfant fut
conduit devant ces Lares; dans l'énorme poigne
du père, sa petite main se perdait, tendre, hasar-
deuse; le père baissait la voix, expliquait dans un

souffle le monde inexplicable, comment les troupeaux à chaude haleine dépendent d'idoles en bois
froid, comment les choses peintes et impavides
dans le noir règnent en secret sur les grands
champs de l'été, dans un coup d'aile plus impérieux que l'orbe du milan, plus décisif que le jet de
l'alouette. Dans l'église qu'aveuglent ses vitraux
moussus, la nuit régnait; le père enfin battit le briquet. Les mille épingles étincelèrent à la fois dans
la flamme du cierge; la chasuble frissonna, les
mains d'ocre là-haut s'ouvrirent; et révélé, interminable, le regard du saint, ironique et naïf, surplomba l'enfant.

(Peut-être plus tard, quand il eut seize ou dix-
huit ans, vint-il dire adieu au groupe vermoulu et
hérissé des petits désirs pointus des femmes, y
chercher confirmation de ce qui, enfant, l'avait à
son insu saisi; y vérifier ceci : que ce qui lui importait — rage de quitter, sainteté ou vol de grands
chemins, peu importe le nom de la fuite, refus et
inertie en tout cas — était le fait non pas de tous,
non pas des séculaires piqûres d'épingles où chacun y allait de sa trace infime et de son désir par-
cellaire, mais d'un seul, au désir massif, fondateur
stérile et solipsiste, le saint au regard de bois.
Comme ce moine Goussaud jadis, violent sans
doute et vain immodérément, qui se cloîtra dans la
forêt d'ici avec l'espoir rageur que viendraient l'y
supplier ceux qui sous les huées l'avaient chassé
des villes, et dont l'effigie aujourd'hui commandait
aux moissons de cinq paroisses, enflammait les
filles et fécondait les femmes, et pour finir ouvrait

aux enfants prodigues la violence des chemins, comme ce moine et comme tous ceux qui avivent leur braise des cendres dont ils la couvrent, il fallait se voir tout refuser pour avoir une chance de posséder tout. Je l'imagine, visage inoubliable en cet instant et que tous ont oublié, redécouvrant ce poncif formidable; je l'imagine, Antoine imberbe encore, sortant à jamais de cette église toujours nocturne, la rage et le rire crispant sa bouche, mais entrant dans le jour comme dans sa gloire future.)

Que dire d'une enfance au Châtain? Genoux écorchés, baguettes de coudre pour tromper les jours et courber les herbes, « habits puant la foire » et vieillots, monologues patois sous les ombres luxueuses, galops sur les javelles chiches, puits; les troupeaux ne varient pas, les horizons persistent. L'été, l'après-midi se tient dans l'œil d'or des poules, les tombereaux encalminés lèvent le cadran solaire de leur timon; l'hiver, le ban des corbeaux tient le pays, règne sur les soirs rouges et le vent : l'enfant nourrit sa torpeur d'âtres et de gels sonores, lourd fait s'enlever les oiseaux lourds, s'étonne que ses cris s'embuent dans l'air glacé; puis un autre été vient.

Ses parents, je suppose, aimaient cet enfant tard venu. Juliette a des silences; un pain sous le bras elle s'arrête, elle pose un seau sur le seuil et la pierre plus grise boit l'eau fraîche, ou activant le feu elle tourne la tête et une joue resplendit quand l'autre s'ombre, elle regarde le jésus, le petit larron, le dernier des Peluchet. Le père est grand : on le voit tout petit dans les champs et déjà il s'encadre là dans la porte, haut comme le jour et tout d'ombre, un joug sur l'épaule ou son fusil à pierre, et il tend à l'enfant un ramier, une poignée de genêts. Il est aimant : un jour il fait à Antoine des sifflets d'écorce fraîche, aulne ou tremble ; le gros couteau a des précisions d'aiguille, la sève perle au bois nu, dans la main rocailleuse le sifflet est léger comme une plume, fragile comme un oiseau : l'enfant sérieux siffle avec application, le père a une grande joie. Enfin, il est brutal.

Il y a dans Saint-Goussaud un maître d'école, ou un curé frotté de culture, qui la dispense. Dès novembre, dans le roide de janvier et jusqu'aux boues de mars, l'enfant au petit jour emporte sa bûche, s'installe dans l'odeur de soutane et celle, galeuse, des enfants villageois, année sur année apprend des bricoles : que les mots sont vastes, qu'ils sont douteux ; que l'herbe-aux-gueux s'appelle aussi la clématite, que les cinq herbes de saint Jean, dont on fait des croix clouées aux portes des étables, sont, aussi bien qu'herbe saint Roch, herbe saint Martin, sainte Barbe ou saint Fiacre, molène, scabieuse, et cirse ; que le patois n'est pas coextensif à l'univers, et le français pas davantage ; que le latin n'est pas que violon des anges : qu'il porte des présences, nomme la joie qu'on éprouve à dormir et celle qu'on goûte à s'éveiller, suscite l'arbre et l'orée aussi bien que les plaies du Sauveur, et est lui-même insuffisant ; enfin, et peut-être est-ce la même chose, que sont d'or d'autres objets que les ciboires, les alliances, les louis.

Je n'invente ici rien : il y a — et à cette heure des

bêtes aveuglément la minent, des hiboux vagues la nuit la recouvrent de fiente —, il y a dans le grenier des Cards une cantine qu'Élise appelait « la caisse du Châtain » et où dort la maigre trace chue de la Maison Peluchet : parmi des *Almanachs des Bergers*, quelques menus de noce et de vieilles factures accusant réception de barriques ou de cercueil, de bouts de chandelles, trois livres me sont témoins, trois livres incongrus et merveilleusement justes où l'univers presque se tient en son entier, trois impensables livres qui portent le paraphe maladroit, lisible à l'excès et en pleine page, d'Antoine Peluchet. Ce sont, dans une édition de colporteur, *Manon Lescaut*, une règle de saint Benoît craquante, et un petit atlas.

L'enfant grandit, le voilà adolescent. Les livres sont déjà ou non en sa possession, peu importe ; ses habits puent toujours la foire ; sous la casquette, il a deux grands yeux sombres qui fuient, et probablement une âme excessive, affamée et n'ayant à dévorer qu'elle-même, d'emblée découragée. Il est aussi grand et fort que son père, mais ses bras ne lui sont de rien, n'étreignent pas, voudraient briser et retombent : dans la petite église enterrée et imbue de son odeur de tombe, le Saint, l'Inutile, le Bienheureux, veille au grain et gâche la récolte, les mains impérieusement ouvertes, impondérables.

Il faut alors imaginer qu'un jour, Toussaint perçut dans le fils — et n'en finit plus dès lors de percevoir — quelque chose, geste, parole ou plus vraisemblablement silence, qui lui déplut : une pesée trop légère aux mancherons de la charrue, une paresse à vivre, un regard qui demeurait obstinément le même, qu'il se posât sur des seigles parfaits ou des blés où s'est roulé l'orage, un regard pareil à la terre innombrable et toujours la même. Or le père aimait son lopin : c'est-à-dire que son lopin était son pire ennemi et que, né dans ce combat mortel qui le gardait debout, lui tenait lieu de vie et lentement le tuait, dans la complicité d'un duel interminable et commencé bien avant lui, il prenait pour amour sa haine implacable, essentielle. Et sans doute le fils rendait-il les armes, parce que la terre n'était pas son ennemie mortelle : son ennemi à lui, c'était peut-être l'alouette qui va trop haut et trop bellement, ou la vaste nuit stérile, ou les mots qui flottent autour des choses comme des défroques achetées en foire ; et à quoi, dès lors, se mesurer ?

Puis il y eut cette nuit terrible, et je ne doute pas que ce fut au printemps, en l'absence de lune, sous le charme pesant des foins et d'un ciel de rossignols. Les hommes (car Antoine aussi est un homme, maintenant), les hommes sont rentrés tard, les aisselles enfiévrées par le manche des faux, un soleil géant poussant leurs ombres longues qui s'entre-heurtent sur les cailloux mauvais du chemin ; l'observateur fictif, épars avec le soir dans l'odeur du grand sureau face à la porte, les voit entrer, même silhouette et casquette ensuée, nuques mêmement brûlées, vaguement mythologiques comme toujours le sont père et fils, double temps se chevauchant dans l'espace ici-bas. Le père se ravise et vient pisser sous le sureau : il a un regard terreux et semble mâcher quelque chose de noir. La porte se referme, la nuit patiente vient. La chandelle s'allume, on les voit tous les trois par la fenêtre penchés sur la soupe ; la louche dans la main de Juliette va et vient, un grand papillon effaré cogne aux vitres ; du vin coule, beaucoup de vin, dans le seul verre du père. Soudain il regarde Antoine, visage d'encre dans la pénombre ; un peu de vent agite les ombelles peureuses du sureau, elles se penchent, effleurent la vitre, de la chandelle une flamme plus claire jaillit : dans le regard dévoilé d'Antoine, cette morgue, cette dignité sans cause et exaspérée, indifférente. Alors dans la cuisine on crie, une grande ombre gesticulante bondit aux poutres puis rampe, des chaises heurtées croulent. Qui en vain tend l'oreille dans le sureau ? Seul franchit les murs épais le roulement d'orage, de tambours, la rumeur insensée comme de cailloux creux qu'on brasse qui fait sangloter les enfants et inquiète les chiens, la voix d'extravagance antique et désastreuse de la famille en son suprême état. Le père est debout, brandit quelque chose qu'il maudit et jette à terre, un verre plein, un livre peut-être, et les gros poings assènent à la volée sur la table des vérités qu'on n'entend pas, les seules vérités, les vérités niaises, terrifiées et hagardes qui parlent d'aïeux, de morts vaines et de permanence du malheur. Et dans ce coin là-bas, corps pauvre tassé dans l'encoignure du buffet pauvre, ombre aspirant à plus d'ombre, que fait la mère, qui a renoncé à ramasser les misérables faïences brisées ? Elle sanglote peut-être ou se tait ou prie, elle sait quelque chose, elle est coupable. Enfin la vieille arrogance patriarcale retrouve son vieux geste définitif, la droite du père se tend vers la porte, la chandelle fléchit, le fils est debout ; la porte s'ouvre comme une dalle tombe, la lumière frappe le sureau qui tremble doucement, interminablement. Antoine un instant s'encadre sur le seuil, sombre dans le contre-jour, et nul ne sait, sureau ni père ni mère, quels sont alors ses traits ; des rossignols là-haut élargissent la nuit, ébauchent les routes du monde : que ces chemins moussus sous ses pieds soient d'airain, de fer sur sa tête ces cieux chantants. Il part, il n'est plus d'ici. Et il se trame là peut-être encore, entre le père toujours vociférant ou soudain muet et la tête dans ses mains, le fils hors de vue dont le pas décroît que plus jamais on n'entendra, et l'observateur coi, spectral, inexistant, mêlé aux fleurs du sureau et sureau lui-même, plus disparaissant qu'une odeur dans la nuit, plus vain que la floraison brève de l'année 1867, il se trame encore une vague réalité, brutale et lourde, comme de vieux tableau ou de chapiteau roman, une réalité qu'à demi je perçois et que je ne comprends pas.

La chandelle s'éteint, un rossignol s'évade du sureau ; peut-être vers Saint-Goussaud entend-on grincer la porte vermoulue de l'église — mais c'est aussi bien celle d'une étable, ou deux branches ennemies dans un fourré. Des étoiles fuient, ou des salamandres d'or quand on bat le briquet derrière les vitraux baignés d'herbe. De quoi encore se plaint la nuit, où des chiens s'exténuent, aveugles

et tonnants ? Quel vieux drame de famille se perpétue dans la gorge des coqs ? L'ombre crossée des
fougères s'épaissit dans la montée. Des Épées de
lumière barrent les chemins, à moins que ce ne soit
la lune enfin levée, sur des bouleaux. Quittons ce
feuillage ; le sureau a dépéri, je crois, vers 1930.

Il me reste Toussaint.

Un autre jour paraît. Il faut encore faucher, par
exemple, le pré du Clerc, qui n'est qu'une pente,
une combe de brouillard dans le souffle noir des
sapinières, vers le col de Lalléger ; on y entend
une seule faux ; des grives débusquées trouent la
brume, des injures brusques sortent de terre, à
peine suspendue la faux invisible retombe. Quand
le brouillard s'élève, les Jacquemin, Décembre, les
fils Jouanhaut, qui coupent aussi vers Lalléger,
voient le père seul : il fauche à contre-pente. Midi
ne l'apaise pas, l'aplomb de l'après-midi l'exaspère comme un taon, il fauche jusqu'à la nuit
pleine. Les fils Jouanhaut, qui sont partis les derniers, avec des rires, sont depuis longtemps devant
la soupe ; seuls témoignent les grands sapins,
inabordables et proches, en eux-mêmes et pour
eux seuls chuchotants, sourds à tout ce qui n'est
pas leur deuil : le père entre ses dents appelle sur
eux le feu de Dieu, il rentre.

Imaginons-le sur ce chemin sombre. Nul
daguerréotype ne le perpétue, mais que le destin à
cet instant lui fournisse un visage — ou le hasard :
la nuit est propice aux faussaires. Son portrait

après tout, n'est pas plus fictif que celui, si juste, de son rival auréolé là-bas, dans la petite église. Le visage qu'on devine est épais mais tracé fortement : l'arête du nez, tannée, luit et tire à elle les joues hautes, les sourcils précis ; un grand air donc ; la moustache là-dessous est celle des morts de ce temps-là, celle de Bloy et des généraux sudistes : puissante et machinale, propre à l'uniforme et au patriarcat, aux poses rigides. Il s'arrête parfois et lève la tête vers les étoiles : c'est pour savourer l'instant proche où, sous la lampe, il verra Antoine revenu, l'enfant aux sifflets d'aulne qui lui sourit ; on voit alors ses yeux chauds, malicieux et comme enfantins. Puis il repart plus vite, la casquette l'escamote, et il n'y a plus que la mâchoire de bois, brutalement désespérée. C'est un vieux. Quand il prend le sentier du Châtain et qu'on le regarde venir, il ressemble beaucoup à celui qui fut Toussaint Peluchet : mais que cette démarche pesante de paysan ne nous abuse pas ; car il porte sur l'épaule quelque chose de miroitant et magique, de péremptoire comme la harpe d'un roi caduc inventeur de psaumes, ou un fauchard de lansquenet vieillissant qui voit dans la nuit des choses qui n'y sont pas, des cornes soudaines au front des haies ou des pieds fourchus dans le pas sculpté des bœufs : une faux, qu'il pose devant la porte et elle tombe avec éclat sur le seuil tant sa main tremble. Antoine n'est pas là.

Juliette — dont l'enveloppe mortelle, dans mon esprit et dans ces pages, est presque totalement érodée, comme elle dut l'être de son vivant même, escamotée sous les multiples tournures, le capulet à la Chardin et les atours informes de madone niaise ou de vieillarde, mais que pourtant je dois bien imaginer déjà courbée, tirée par les ans et avec encore deux grands beaux yeux —, Juliette est debout, une main peut-être étreignant un dossier, un rebord, et au creux de l'autre main tenant, comme un oiseau ramassé après la pluie, la relique. Nul n'est mort pourtant, et nul apparemment ne va naître. Le père la regarde en suppliant, muet; on peut aussi penser qu'il s'emporte : pourquoi fallait-il qu'Antoine le prît au mot? À son tour il étreint un meuble, un dossier; il s'assied longuement, se relève et reste debout : c'est elle alors sans doute qui s'assied. Il n'y a plus que le bruit semblable de la pendule, et dehors vaguement, les mêmes oiseaux qu'hier; elle se lève : ainsi toute la nuit, où la chandelle se consume jusqu'au bout (mais c'est déjà l'aube de juin), les deux dépositaires du fils implorent-ils l'avenir mat et creux, arpentent leur pauvre mémoire inépuisable, l'instant sur eux pesant de tout son poids de ciel nocturne. Ou tout cela peut-être, cette conscience d'un temps désormais brisé où le passé démesurément va croître, est prématuré : ils attendent Antoine, en tremblant, en se rassurant et se torturant l'un l'autre, la passion de l'espoir dans son tourbillon les prenant, les rejetant, les laissant pour morts en leur insufflant vie, un peu de vie qu'elle reprend, jette dehors aux chiens, servilement rapporte avec l'éclair d'un souvenir, un oubli bref, le reflet ponctuel d'un battant d'horloge.

Le père attendit un, deux ans, peut-être dix. L'opiniâtreté morne des travaux et des jours emplit ce temps, que j'éluderai. Le père cependant mûrit, la graine d'absence en lui germa, quand on pouvait croire seulement qu'y dépérissait l'espoir ; un jour enfin, on doit penser qu'il fut quitte du réel.

Il y eut quelques événements. Un cabriolet à deux chevaux qui sentait la ville, l'étude ou le greffe, s'arrêta un soir sur leur seuil : on eut à peine le temps d'en voir descendre, de dos, sil-houette étrange et brève comme de roman russe sur les champs boueux, un homme jeune, tout en noir et à huit-reflets, qui s'engouffra dans la porte noire. Toussaint retira sa casquette, porta la main à sa moustache ; Juliette versa au visiteur un verre de vin ; il but ou ne but pas ; il regarda l'âtre, s'as-sit et leur parla : nul ne sait de quoi.

Puis, un des matins de Pentecôte où le saint flanqué du bœuf, hissé sur un brancard à dos d'hommes, pauvrement cossu entre des mains rugueuses, sort face aux chemins, se rafraîchit aux feuilles neuves, des deux bras appelle à lui les morts et délivre du mal les vivants, et, entre appa-reil paysan et prêtraille, sourit là-haut, impassible et doré sur le ciel bleu ou l'averse, on vit ceci : tel l'antique Patron aux mains ouvertes et non moins que lui absent, figurant une ombre ou un souhait, perpétuant quelque chose qui peut-être ne fut pas, Toussaint Peluchet le taciturne souriait. À la lan-terne des morts le saint comme toujours s'arrêta, d'un coup d'œil égal encore une fois vérifia les vallées profondes, les bois, les hameaux et leurs cœurs souffrants, l'horizon vaste de ses paroisses; des petits paysans en surplis agitèrent des grelots, un vent froid passa dans un silence, des phrases latines se perdirent, les villageois s'agenouillèrent; à l'écart un peu, debout, « magnifique, total et solitaire » telle l'Image arrêtée, arrogant comme un diacre et patient comme un bœuf, le père toujours ravi tenait dans sa main ballante quelque chose qu'on ne voyait pas, comme on tient une plume ou la main d'un petit enfant.

Une autre fois — et cela nul ne le vit, que les murs de la vieille maison à face aveugle, dressée, violente et muette —, dans la chambre d'Antoine il ouvrit en tremblant un des trois livres. Peut-être l'expression, confuse d'être si claire, et la mécanique incompréhensible des passions que, médusé, il comprenait, dans *Manon Lescaut*, l'étonnèrent-elles davantage que tout ce qu'il avait à ce jour entendu, plus que ne l'étonnèrent dans ces mêmes pages les hôtelleries et les fuites la nuit en chariot couvert, la fille perdue et le fils failli, les causes multiples des larmes, la mort écrite. Peut-être un vieux moine (un de ceux, ou si peu s'en faut, qui avaient jadis transporté la relique, sur un âne roué de coups et ployant sous les châsses, spectre parmi l'armée spectrale des clercs épouvantés regardant par-dessus l'épaule brûler l'ermitage, dans un hourvari de Sarrazins ou d'Avars — la relique, que Juliette en bas dans la cuisine ne quittait plus), peut-être ce vieux moine glossateur de Benoît lui souffla-t-il, au hasard de la première page ouverte, que « si un des frères se montre attaché à quelque chose, il importe qu'il en soit aussitôt privé », et que si de lui-même il bannit ce quelque chose, son salut plus âpre en sera plus sûr. Peut-être l'atlas lui enseigna-t-il, avec une symbolique rigide que d'abord il perçut mal, que tous les points de la terre cultivable ou non s'équivalaient sous les mêmes signes, comme aux yeux d'un saint de bois quelques cantons gueux ; et plus sûrement ce livre lui ouvrit-il les chemins du fils, tous les aboutissements possibles d'une errance commencée un soir de fenaison et dont il était, lui, Toussaint, l'instrument, tous les chemins possibles sauf la mort : le fils était là quelque part sous ses yeux, ou il n'était plus. Le soir venait ; Toussaint relevant la tête vit par la fenêtre ce qu'Antoine enfant avait toujours vu : le clocher là-bas, la distance impalpable qui porte l'angélus, l'alouette suspendue ou un corbeau comme un chiffon noir ; au-dessous de l'alouette, quelques ares de la terre des Peluchet : son regard les effleura comme si elles eussent été peintes, revint à l'alouette vive, au bleu du clocher.

(Il est possible aussi, mais peu probable, qu'il ne comprît goutte à tout cela ; il referma brutalement le livre et, dans des jurons, but avec colère jusqu'à l'ivresse : c'était, on le sait, un paysan déjà vieux.)

Enfin, une année, le Fiéfié de chez Décembre l'aida pour les labours ; il revint ce printemps-là, l'été, et de plus en plus souvent. C'était un être un peu simplet et porté sur la boisson ; il devait parler trop vite et abondamment ; il fallait qu'il fût très

51

maigre et de main tremblante, qu'il eût l'œil larmoyant dans la fièvre d'une face brique, effondrée.
Il gîtait dans une mansarde déjà abandonnée alors
et dont je connais aujourd'hui les ruines, dans des
ronciers, loin de tous par nécessité plus que par
goût, près de la Croix-du-Sud. Il s'était peu à peu
mis à l'écart des Décembre, son père et ses frères,
et avait dévalé la pente doucette et machinale des
journaliers buveurs : vivant de rien mais du vin
qu'il faut pour quatre, ayant dans ce philtre dilué
l'imitation des ascendants et le goût d'une descendance, les infimes quant-à-soi et les fiertés sottes
et secrètes qui font l'honneur des humbles ; regardant comme tout un chacun les choses sans qu'on
sût ce qu'il y voyait ; n'étant ni homme mûr ni
jeune homme vieilli, mais simplement ivrogne ;
partout moqué un peu ou rudoyé par les pires,
mais accueilli à la table parce qu'il avait deux bras
dont il fallait bien qu'il se servît la semaine, s'il
voulait le dimanche se les rouer d'alcools noirs,
s'en déprendre comme de tout il s'était dépris. Ces
jours-là, au sortir tourbillonnant des bistrots de
Chatelus, Saint-Goussaud, Mourioux, il s'affalait
pour la nuit au hasard d'une grange, dans les
gerbes dociles, et se parlait à lui-même longuement dans le noir avec des rires d'orgueil, des
décrets et des emportements, jusqu'à ce que les
enfants du village à pas louches vinssent et, lui
jetant en pleine face un seau d'eau ou dans sa chemise l'éclair froid d'un orvet, emportassent sa
royauté fragile, éparpillée, dans des rires qui s'en-
fuient.

On les vit donc ensemble, Fiéfié claudicant, capricant, dans l'ombre du vieux toujours bien droit, dominateur, lointain. Ils attelaient les bœufs dans la courette et partaient solennellement, Fiéfié au timon appelait les lourds fronts bouclés, les raillait à grands éclats de voix gueularde, sautillant et contrefait comme un marche-à-terre ou un bouffon élisabéthain, et le vieux tout debout à l'avant du tombereau, raide, la moustache toute blanche maintenant, les roues sous lui grinçant, se conformait aussi à des images, rois défaits ou vieux et de toute façon défaits, lairds furieux et incapables, abdicataires. Parfois sa grosse voix brève tombait sur le garrot obtus des bœufs, sur Fiéfié qu'il injuriait; mais il était gai peut-être et souriait, et cela seuls Fiéfié et les chemins l'ont su. Ils rentraient; Fiéfié de la cave remontait encore un litre, s'asseyait, se perdait; la mère, informe et toujours gémissante sous la citadelle ruinée des jupons noirs, marmonnait, préparait on ne savait quoi, n'était pas là; et le vieux là-dedans, qui ne buvait ni ne gémissait, ravi peut-être, nostalgique ou sûr de lui, le vieux paraît-il, parlait.

Vers cette époque, dans les bistrots de Chatelus, Saint-Goussaud, Mourioux, dans les dires nés du vin que la fatigue décuple, dans les palabres des journaliers, et de là dans les maisons où les hommes les rapportaient avec la nécessité de parler querelleuse, affrontée à la femme, passéiste et inéluctable des soirs d'ivresse, Antoine ressuscita.

Il était, disait Fiéfié, en Amérique. Fiéfié il est vrai n'avait aucun crédit, et on s'en fût beaucoup moqué si l'on n'eut su que par sa bouche et quoique trahi, déchu, c'était l'autre qui parlait, le vieux bannisseur, l'énigmatique, le péremptoire. On lui prêta donc l'oreille défiante, secrètement exaltée et envieuse qu'on prête aux prophètes, dont je veux croire que Fiéfié avait l'organe glapissant et l'allure déguenillée, le logis de ronces. On parla donc de l'Amérique et de l'ombre là-bas d'Antoine; et Fiéfié comme ses auditeurs voyaient en l'Amérique un pays semblable aux cantons jouxtant ceux qu'on connaît par ouï-dire mais où l'on ne va jamais, au-delà de Laurière ou de Sauviat, sur l'autre versant du mont Jouet ou du Puy des Trois Cornes : un pays fortuné mais périlleux, coupe-gorge et caravansérail, où il y a des sinaïs de ronces et des canaans de fête villageoise; plein de filles perdues mais qui vous aiment et de destins splendides ou désastreux, ou les deux ensemble, comme les destins sont dans les pays du seul dire. Ils voyaient là Antoine, le petit Antoine avec les traits presque d'enfant qu'on lui avait connus dix ans plus tôt et qui ne vieilliraient plus, et lui trouvaient peut-être quelque occupation louche ou fatale qui convînt à sa morgue, à sa douceur têtue, à ses silences : maquereau ou mécanicien, la casquette d'apache sur l'œil ou menant une locomotive à train d'enfer, et les yeux alors dans la face noircie avaient toujours cette dignité crâne, indolente.

(Sans doute alors les règnes dominicaux de Fiéfié — dont je me demande ce qu'il pouvait bien comprendre à tout cela, comment il pouvait être à la hauteur de son mandat de héraut du père, de maillon dans l'histoire du fils, simplet qu'il était et assurément incapable d'aligner à la suite deux pensées correctes, mais dévoué à Toussaint et s'étant emparé sur ses lèvres du mot « Amérique » indéfiniment répété, ce mot qui était au père ce que la relique était à la mère, transmissible aussi donc, et résumant toutes les fictions possibles et l'idée même de fiction, c'est-à-dire ce que lui, Fiéfié, n'aurait jamais, qui n'existait pas et pourtant, mystérieusement, était nommé —, sûrement le règne dominical de Fiéfié, ce trône de paille obscure et ce sceptre d'ivresse, cette royauté grandiloquente dédiée aux araignées, outragée de seaux d'eau et de noirceurs d'enfants, devint-il un inimaginable règne sur un seul et pauvre mot.)

Antoine avait écrit, du Mississippi ou du Nouveau-Mexique, pays barbare au-delà de Limoges : et rien, après tout, ne me permet avec rigueur d'affirmer que ces lettres, que nul ne vit, ne furent pas. Peut-être leur signataire en effet conduisait-il des locomotives noires sous le soleil jaune de la lointaine El Paso ; peut-être la seconde ruée de Californie avait-elle charrié ce brin d'âme du Châtain dans son flot de guimbardes, de rixes, d'orpailleurs féroces et de candeurs perdues ; peut-être marchait-il environné d'un appareil mythique, viril massivement, stetson confédéré et colt yankee, vendant le pire et voleur de chevaux : poussant sous lui la nuit des multitudes à cornes razziées sur la frontière, il se souvenait, à l'aplomb d'un saint, d'un petit bœuf docile ; ou, « sobre surnaturellement », il vivait en bourgeois d'un petit métier, dans un pavillon de planches à l'orée du désert avec une femme qu'on prenait pour son épouse légitime, qui allait à la messe en gants blancs dans l'église baptiste, mais qu'il avait gagnée aux dés dans un bordel de Galveston ou de Baton Rouge. Ou encore, las avant des côtes plus lointaines, il aurait relâché aux Antilles, sur un morne violet dans le giron d'une doudou, à moins qu'aux Açores, comme le matelot des *Mémoires d'outre-tombe* qu'il n'avait pas lus, il se fût fait bénédictin. C'est là ce que je penserais. Mais lui, Toussaint, ne disposait pas du matériel nécessaire pour penser cela, bribes langagières, imageries d'Épinal et d'Hollywood ; de l'Amérique, il ne pouvait désespérément rien se représenter ; cependant, il savait que le fils avait deux jambes, que sur la mer peut-être un vapeur avait relayées ; il savait ce qu'étaient une locomotive, le goût de l'or et un bordel, et il put imaginer Antoine dans l'un de ces trois états ou de ces trois lieux : les éléments que nul ne connaît et qu'il bricolait entre eux pour camper plausiblement le fils américain, étaient autres que les miens, plus restreints sans nul doute, mais d'agencement plus riche, plus libre, plus étonnant ; enfin, sur le petit atlas, il avait lu ces noms : El Paso, Galveston, Baton Rouge.

Il les avait lus. L'atlas aujourd'hui s'ouvre tout naturellement à la page plus jaunie de l'Amérique du Nord. Les noms que j'ai dits des villes que j'ai dites sont soulignés d'un crayon malhabile, d'un trait épais et gras comme en laissent les marques de menuisier.

Faut-il dire que le père peu à peu délaissa son

lopin, ces huit ou dix hectares de blé noir disputé aux brandes, aux caillasses, ce morne reliquaire des jours perdus et des sueurs vaines de trente générations de Peluchet, dont l'indifférence du fils l'avait exclu, le soir où tout cela, intraitables caillasses et sueurs enfouies, s'était levé dans la droite du père et l'avait poussé dehors de tout son poids de pierres et de gerbes, d'aïeux enterrés ? Le vieux maintenant se battait avec bien autre chose. Fiéfié confusément cultivait çà et là, gesticulait, jetant des pierres aux corbeaux, moquant les bœufs ; les ronces, comme s'il en eût sournoisement de son taudis apporté la graine ou, dans ses mains sanglantes de soir de cuite, des boutures, gagnaient ; dans le pré du Clerc, les genêts avaient hauteur d'homme ; les sureaux poussaient en plein champ, poussière blanche qu'effarouchaient de menus souffles, des vols. Le père, l'auteur des jours du fils et l'Auteur maintenant de sa part nocturne, la faux machinalement sur l'épaule mais aussi oiseuse désormais et superbe que la harpe du roi psalmiste, lentement arpentait les chemins, parlait aux corneilles, concevait El Paso. Il se campait devant Fiéfié et le regardait faire, narquois mais impavide, à peine complice : avec une application rieuse le paillasse gesticulait plus vite, sautait de motte en motte et harcelait les bœufs, jouait son rôle ; le père satisfait lissait sa moustache, se retirait à l'ombre d'une orée et s'asseyait grandement contre un tronc ; le soleil se couchait sur sa terre gâtée : là-dessus le fils épars, le glorieux corps américain, faisait de l'or en Californie.

Eux donc dans les champs, mais inutiles et célébrant on ne savait quoi, comme s'ils eussent été dans une église, sur un foirail ou une scène de théâtre ; et là-bas, dans la maison noire qu'on devine au détour des haies, la mère, dont le mot Amérique jamais ne passa les lèvres, relique en main, marmonnait les noms de sainte Barbe, sainte Fleur, saint Fiacre.

Le réel, ou ce qui se veut donner pour tel, reparut. Imaginons-les, Fiéfié et Toussaint, un petit matin de brume, partant pour Mourioux à la foire aux cochons. Ils ont des perles de brouillard aux moustaches. Ils sont heureux en traversant les bois, leur rôle bien en main, vivant d'eux-mêmes sans demander à quiconque ratification de leur joie modeste, inventée modestement ; ils poussent devant eux non sans cérémonie quelques cochons indociles ; ils blaguent : qu'ils profitent de cet instant où j'entends leurs voix rire dans la montée des Cinq-Routes. Les voilà à Mourioux. Situons là, entre l'église immuable et droite, les panonceaux dorés perdus dans la glycine fleurie ou défleurie de la façade du notaire, et la fenêtre où je pourrais écrire ces lignes, le lieu, qui fut peut-être celui-ci ou un autre tout semblable, où la vérité selon Toussaint Peluchet vacilla. La foire faite, ils allèrent boire chez Marie Jabely avec des maquignons. Très vite sans doute Fiéfié fut noir, délaissa les marchandages et se mit à parler haut et fort selon son cœur : L'Amérique apparut parmi les buveurs, et Antoine crânement marchait dans cette terre sainte, il faisait de grands gestes là-bas vers tous ceux d'ici. Le vieux, engoncé dans la cravate noire et le col dur des jours de foire, de noces, les nippes raides et fabuleuses de l'autre siècle absurdement pendues aux épaules malaisées des paysans, le vieux ne pipait mot et laissait pérorer, fier, tacite, indulgent comme un Auteur abandonnant à son nègre la tâche ingrate et subalterne des dialogues. Alors, d'un groupe de jeunes gens une voix narquoise et catégorique tout à coup s'éleva, la voix d'un fils Jouanhaut qui revenait, un peu mirliflore je pense et avantageux, avec des souliers vernis ou encore ses grosses épaulettes de sergent, de Rochefort où il avait fait son temps sous les drapeaux ; la voix infatuée, catégorique et mirliflore comme la réalité elle-même entrant en bottes vernies dans un bistrot de campagne, affirma ceci : le fils n'était pas en Amérique, on l'avait vu de ce côté-ci. À la chaîne et deux par deux sous les huées des poissardes, il embarquait sur le port pour le bagne de Ré.

Le père ne cilla pas : il regardait longuement devant lui, comme engourdi. Pesamment il mit son chapeau, paya son verre, à voix haute salua et sortit. Fiéfié s'emporta mais on ne l'écoutait plus, on faisait cercle autour de l'iconoclaste ; sa parole étonnée redevint celle, sans écho, d'un ivrogne un peu niais. Chancelant sous le poids d'un courroux trop grand pour lui qui le rendait stupide, il passa la porte à son tour : avec navrement, avec une douleur aiguë qui le stupéfia de n'être imputable ni au manque de vin ni au rire des enfants, le paillasse vit le vieux bien droit qui l'attendait debout près de l'abreuvoir, adossé au murmure sempiternel et cristallin du filet d'eau, sous la glycine. Qu'ils rentrent au Châtain sous la pluie, la nuit peu à peu les serrant contre elle dans son manteau de châtaigniers, Fiéfié glapissant comme un renard en chasse, et les seuls lourds souliers ferrés du vieux.

Le nouvel épisode de l'histoire d'Antoine fit le tour des cantons, où sa logique sombre l'accrédita. Les savants commérages, qui exaltent les effondrements éclatants et décuplent la splendeur par la chute, s'emparèrent du bagne comme ils l'avaient fait des Amériques, mais comme si l'un était le couronnement des autres, une suite, écrite d'une main différente et plus noire, mais digne de son antécédent et pour tout dire nécessaire. Le vieux avait cru faire l'économie de la croix : son histoire en était prématurée peut-être, et certainement incomplète. À l'Ascension trop tôt glorieuse, le mirliflore, le judas, offrait l'aubaine d'un *Ecce homo*.

Ce qu'il en fut réellement, nul ne le sait ; les vieux l'ont pu savoir (je ne l'affirme pas), après le passage incongru du messager au huit-reflets : mais rien ne nous apprendra qui fut celui-ci, et quel fut son message. Antoine fut peut-être heureux et américain ; ou, bagnard, souverainement investi du bonnet à rayures, il trimait dans le port de Rochefort « où les forçats meurent dru » ; ou il fut les deux, dans l'ordre qu'on voudra : on put l'embarquer à coups de fouet, à Saint-Martin-de-

Ré vers Cayenne en Amérique, pour accomplir lointainement la fiction paternelle autant que les prophéties carcérales éparses dans le petit *Manon Lescaut*, qu'il avait lu avec amour. Mais aussi bien il a pu disparaître dans la solitude vulgaire d'un indicible emploi de boutique ou d'écritures, en chambre d'hôtel déteinte que la lumière oublie, dans la banlieue de Lille ou d'El Paso ; sa morgue inemployée ne l'aura pas quitté. Ou enfin, écrivain failli avant d'être et dont nul ne lira jamais les pauvres pages, il aura fini comme aurait fini le petit Lucien Chardon si la poigne de Vautrin ne l'eût sauvé des eaux : forçat encore. Car je pense quant à moi qu'il avait tout, presque, pour être un auteur intraitable : l'enfance aimée et rompue désastreusement, l'orgueil féroce, un saint patron obscurément inflexible, quelques lectures jalouses et canoniques, Mallarmé et combien d'autres pour contemporains, le bannissement et le père refusé ; et qu'il s'en fût fallu comme d'habitude d'un cheveu, je veux dire d'une autre enfance, plus citadine ou aisée, nourrie de romans anglais et de salons impressionnistes où une mère belle tient dans sa main gantée la vôtre, pour que le nom d'Antoine Peluchet résonnât dans nos mémoires comme celui d'Arthur Rimbaud.

Juliette abandonna ; elle mourut. Les deux autres survécurent sans démordre. Quant au père, rien ne paraissait changé : révélation qui pour lui n'en était pas une, ou hérésie qu'il eût pu pourfendre, la parole du fils Jouanhaut ne l'entama pas. Il n'entra pas dans la polémique : seulement dans les champs son pas devint plus vif, comme si quelque urgence l'emportait, et plus sonores, plus impérieux, les noms de villes lointaines jetés aux corneilles ; il appelait ses disparus et ses disparus peut-être lui souriaient, prévenants comme ils le sont tous ; il portait bellement sa faux ; et, les soirs où vers Chatelus on salue la Saint-Jean ou Notre-Dame d'août par de grands feux qui dessinent l'horizon, il regardait longtemps les clartés et y voyait, mignonne comme à vingt ans, Juliette monter dans la nuit vers le fils.

Il manœuvrait dans la légende ; Fiéfié cependant, qui le suivait comme son ombre, qui avait été sa parole et qui était son ombre, Fiéfié restait sur terre et souffrait. Chaque dimanche inlassablement il refaisait l'expérience de la déroute, dans les bistrots de Chatelus, Saint-Goussaud, Mourioux, où le vin n'avait plus saveur que de vin, où la dérision était redevenue son lot qu'il ne pouvait plus endurer : car on l'avait une fois écouté et, ayant goûté à l'assentiment des autres dans la parole souveraine qui l'avait un instant investi, il ne pouvait souffrir la frivolité de son public et sa désaffection totale soudainement venue, irrémédiable. Il s'asseyait sans un mot aux tables bancales où le premier litre basculait dans le matin, et larmoyant, stupéfait, les yeux navrés, il buvait seul jusqu'au soir. Alors un plaisant libérait le mot Amérique : Fiéfié s'en emparait ; la face bouffonne et prophétique, tendue, avec un masque béat se relevait ; il hésitait un peu mais les perfides regards et l'aiguillon du vin le décidaient et rouge, pressé, convaincu, de mot en mot s'exaltant, se levant à demi, un peu plus, tout debout, il publiait l'innocence du fils, le règne lointain du fils, la gloire du fils. Les grands rires éclatant soudain le suffoquaient, et comme là-bas sous le bâton des argousins, le petit Antoine pieds et poings liés était jeté là, dans le bistrot. Puis les injures, les coups, les chaises renversées et, à Mourioux dans des bouffées de glycine, près du cimetière venteux de Saint-Goussaud où Juliette défaite dormait, à Chatelus sur la place pentue plantée d'ormes et partout dans la nuit, Fiéfié magistralement s'effondrait, déblatérant, remâchant l'Amérique avec du sang et des gravats jusqu'au sommeil plein de heurts où il voyait Toussaint et Juliette, lui fier et elle riant comme une mariée, emportés au grand galop dans un cabriolet qu'Antoine en huit-reflets, exultant et tout droit sur le siège du cocher, menait à bride abattue dans la descente de Lalléger sur la route de Limoges, des Amériques et de l'au-delà. Derrière eux Fiéfié courait, et ne les rejoignait pas.

La semaine, hiver comme été, le temps était pour eux deux ce qu'il est quand il n'y a plus de femme : chaotique, indéterminé, enfantin sans la grâce ni l'ébriété de l'enfance. Fiéfié arrivait tôt de la Croix-du-Sud pour sa besogne qui n'était plus qu'un pèlerinage, avec sa besace emplie d'un bazar de pèlerin, têtes d'outils rouillées, quignons et bouts de ficelle, peut-être des sifflets de bois frais. Ils sortaient un peu pour leur morne prestation dans les quelques champs que la jachère boudait, sans bœufs maintenant, plantaient les choux dont ils vivaient, ramenaient le blé noir dans un mouchoir. Ils mangeaient longtemps à des heures farfelues ; les quelques vieilles qui les fréquentaient encore, curieuses ou par charité, les mères Jacquemin, l'antique Marie Barnouille, leur passant par la fenêtre des restes de jambon, un fromage blanc, des verdures, ont pu les voir alors : dans la longue cuisine indiciblement sale et embarrassée, elles apercevaient en baissant la tête Toussaint impassible au haut bout avec dans son dos la fenêtre de derrière, tempétueusement indistinct et nimbé comme un pantocrator, et Fiéfié sans répit galopant d'un bout à l'autre de l'espace dévasté, à lui seul plusieurs, buvant au litre et touillant le ragoût, desservant la table pour encombrer les bancs ou le fourneau, toujours buvant coupant le pain et évoquant quelqu'un. Et les vieilles, qui riaient et s'apitoyaient en remontant le chemin, ne pourraient rien nous dire de plus : car s'ils doutèrent ce fut pour eux seuls, sans qu'ils dussent pour cela le céder à quiconque, et s'ils triomphèrent ce fut encore pour eux, pour leur cuisine et leurs ombres, dans ce lieu patiné qui ne les offensait pas, pour ces spectres inoffensifs, loin du monde peuplé d'oreilles incrédules et de bouches pleines d'offenses. À cinq heures Fiéfié lâchait son litre et chavirait, dormait sur un banc, ou à terre la tête dans des sacs, et Toussaint un peu penché le regardait dormir, avec indifférence peut-être, avec tendresse.

Un jour enfin, le paillasse ne vint pas.

C'était l'été j'imagine. Allons, c'était en août. Un beau ciel machinal se pencha sur les moissons et les bruyères, jeta des ombres crues sur la maison des Peluchet. Les vieilles restées au village, veilleuses toutes noires sur leur seuil, patientes comme le jour et augurales, virent Toussaint s'encadrer parfois dans la porte sombre ; il interrogea sur l'azur vaste le vol plus bleu des corbeaux ; il entra dans l'étable pour on ne sait quelle besogne ou pensée, y regarda voués à la pénombre les trop vieux bœufs inutiles ; il les appela par leurs noms ; il se souvint que Fiéfié, en d'autres temps, avait sautillé tout heureux au timon. Il revint dans la courette où il resta campé, près du puits froid : avec les vieilles contemplons une fois encore, mais ensoleillée, la casquette prolétaire, héraldique, surplombant la moustache ivoire de vieux survivant. À midi son attente lui rappela, avec un serrement de cœur, une autre attente qu'il avait oubliée : car il aimait Fiéfié sans doute quoiqu'il l'injuriât le plus souvent, Fiéfié qui l'appelait patron, qui avec lui avait bu le mauvais café et veillé Juliette morte, opiniâtrement maintenu le fils en ses métamorphoses ; qui chaque dimanche pâtissait pour des morts et un presque mort, dans l'opprobre et le vin, sous des poings mauvais, c'est-à-dire parmi les vivants ; qui avait eu une enfance lamentable et une vie pire mais qu'une mémoire empruntée avait tant anobli qu'il ne commerçait plus qu'avec des anges et des ombres, dans le tohu-bohu d'une histoire fondatrice qui l'emportait glapissant et se jouait de sa vie souffreteuse jusqu'au martyre inclusivement, nécessairement ; Fiéfié Décembre qui tout de son long sous le soleil épais était couché dans les ronciers de la Croix-du-Sud, mort.

Une vieille le découvrit au plus chaud de l'après-midi, à deux pas de son taudis, la face contre terre parmi des envols de guêpes. Des plaies à sa tête saignaient avec les mûres ; « les prairies peinturées de papillons et de fleurs » embaumaient dans le soir, l'effleuraient ; un pan de sa veste, rigidement arrêté dans sa chute par d'intraitables épines et comme empesé, ombrait sa nuque débile, avec une grande délicatesse. Peut-être avait-il reçu des coups, mais aussi bien, ivre, il avait pu trébucher dans les ronces épaisses ici et cruelles comme des lianes du Nouveau Monde et se fracasser triomphalement le front sur la caillasse : on ne le sut jamais. La vieille, qui descendait à Chatelus, alerta la brigade ; quand les chapeaux bordés arrivèrent, leurs grandes ombres à bicornes et chevauchantes de reîtres ou de démons projetées loin par le soleil bas, ils virent dans ce commencement de nuit le vieux à genoux, sans casquette et la ceinture de flanelle défaite pendant sur sa culotte, qui serrait dans ses bras le pantin mort et, pleurant, répétait d'une voie têtue, étonnée, de reconnaissance et de reproche : « Toine. Toine. » On jeta sur le cadavre un manteau de cavalerie ; les yeux ouverts qui ne larmoieraient plus disparurent, une breloque à la hussarde orna les cheveux mal couverts du gueux ; le vieux appela son fils doucement jusqu'à la mise en terre, dans le cimetière de Saint-Goussaud sur quoi soufflait le vent.

Le reste tient en peu de mots. Toussaint n'appela plus personne. Il survécut à Fiéfié comme aux autres; il les mêla peut-être et ensemble pétrit et repétrit leurs ombres pour grossir la grande ombre dont il vivait, qui l'ensevelissait et lui donnait vigueur; il y ajouta l'ombre bonasse et lente des bœufs, qui moururent aussi. Qu'est-ce donc que quelques années encore de vie, quand on est riche de tant de pertes? Il lui restait sa faux, le luxe débridé de sa cuisine, le puits, l'horizon invariable. On ne parla plus d'Antoine; quant à Fiéfié, qui en avait jamais parlé?

Deux ou trois vieilles, les plus humaines dans le meilleur ou le pire, visitèrent jusqu'à la fin le pantocrator écroulé, dans sa cuisine à froid de crypte, découpé tout droit sur sa fenêtre de derrière byzantine et moussue, lumineuse et verte : parfois la pourpre de digitales y tintait. Les Maries posaient sur la table crasseuse les mûres, les confitures de sureau, le pain inévitable. Elles lui racontaient de sempiternelles histoires de mauvaises récoltes, de filles engrossées et de saouleries tumultueuses; le vieux dodelinait un peu; il avait l'air d'écouter, sérieux comme un gendarme et moustachu dignement comme, à Appomatox après la reddition, le général Lee. Tout à coup, il semblait se rappeler quelque chose; il frissonnait, sa moustache que la clarté portait tremblait un peu et, se penchant vers Marie Barnouille, il clignait des paupières d'un air matois et disait, fier et confidentiel, un peu rengorgé : « Quand j'étais à Baton Rouge, en soixante-quinze... »

Il avait rejoint le fils. Quand de toute évidence il le tint embrassé, il le hissa avec lui sur la margelle pourrie du puits dans quoi fougueusement ils se précipitèrent, un comme le saint et son bœuf, leurs bras étreints, leurs yeux riants, leur chute indiscernable balayant des scolopendres et des plantes amères, éveillant l'eau triomphante, la soulevant comme une fille ; le père cria en se brisant les jambes, ou le fils ; l'un maintint l'autre sous l'eau noire, jusqu'à la mort. Ils furent noyés comme des chats, innocents, balourds et consubstantiels tels deux de la même portée. Ensemble ils allèrent en terre sous un ciel en fuite, dans la bière d'un seul, au mois de janvier 1902.

Le vent passe sur Saint-Goussaud ; le monde, certes, fait violence. Mais quelles violences n'a-t-il pas subies ? Les fougères miséricordieuses cachent la terre malade ; y poussent du mauvais blé, des histoires niaises, des familles fêlées ; du vent le soleil surgit, comme un géant, comme un fou. Puis il s'éteint, comme s'est éteinte la famille des Peluchet : on dit ainsi, quand le nom cesse de s'apparier à des vivants. Seules le profèrent encore des bouches sans langue. Qui ment avec obstination dans le vent ? Fiéfié glapit dans les bourrasques, le père tonne, dans une saute se repent, se rachète quand le vent tourne, le fils à jamais fuit vers l'ouest, la mère geint au ras des bruyères, l'automne, dans une odeur de larmes. Tous ces gens sont bien morts. Au cimetière de Saint-Goussaud, la place d'Antoine est vide, et c'est la dernière : s'il y reposait, je serais enterré n'importe où, au hasard de ma mort. Il m'a laissé la place. Ici, fin de race, moi le dernier à me souvenir de lui, je serai gisant : alors peut-être il sera mort tout à fait, mes os seront n'importe qui et tout aussi bien Antoine Peluchet, près de Toussaint son père. Ce lieu venteux m'attend. Ce père sera le mien. Je doute qu'il y ait jamais mon nom sur la pierre : il y aura l'arceau des châtaigniers, d'inamovibles vieux en casquette, de petites choses dont ma joie se souvient. Il y aura chez un lointain brocanteur une relique à deux sous. Il y aura de mauvaises récoltes de blé noir ; un saint naïf et délaissé ; des aiguilles que le cœur battant y plantèrent des filles mortes il y a cent cinquante ans ; les miens ici et là dans du bois pourrissant ; les villages et leurs noms ; et encore du vent.

Vies d'Eugène et de Clara

À mon père, inaccessible et caché comme un dieu, je ne saurais directement penser. Comme à un fidèle — mais qui, peut-être, serait sans foi —, il me faut le secours de ses truchements, anges ou clergé ; et me vient d'abord à l'esprit la visite annuelle (peut-être, plus avant, fut-elle semestrielle, et même mensuelle au tout début) que me rendaient, enfant, mes grands-parents paternels, visite qui sans doute ne manquait pas de constituer une perpétuelle relance de la disparition du père. Leur ingérence était protocolaire, consternée, avec des tendresses empêchées dès qu'ébauchées — je revois ces deux vieux dans la salle à manger du logement de l'école : Clara, ma grand-mère, longue femme blême aux joues caves, image de la mort inquiète, résignée mais brûlante, curieux mélange des expressions si vivantes, vivaces, et du masque d'outre-tombe sur lequel elles se jouaient ; ses frêles et longues mains serrées sur le genou maigre ; ses lèvres, dont le dessin quoique aminci par l'âge était resté impeccablement net, s'étiraient quand elle me regardait en un sourire, vague sans doute d'une nostalgie indicible, mais en même temps aigu, séduisant, de femme jeunette ; je craignais l'acuité des grands yeux très bleus, à la joliesse douloureuse, qui longuement se portaient sur moi, me lisaient comme pour fixer, indélébiles, mes traits en sa vieille mémoire ; sous ce regard, peut-être mon malaise s'accroissait-il de ce que j'y devinais : sa tendresse ne s'adressait pas qu'à moi, elle fouillait au-delà de mon visage d'enfant, à la recherche des traits du faux mort, mon père — regard vampire et maternel à la fois, dont me troublait l'ambivalence, comme me troublait la finesse du jugement qu'à tort ou à raison je prêtais à ce personnage imposant, effrayant et charmeur, familier des mystères auxquels la vouaient son prénom insolite et l'appellation magique de son métier : sage-femme, dont à Mourioux j'ignorais absolument le sens, et qui me paraissait à elle seule réservé.

Elle éclipsait presque totalement la figure de mon grand-père Eugène — sans pour autant lui opposer cette barrière bavarde et aigrement condescendante dont certaines épouses circonviennent leur mari, lui refusant la parole, puis toute pensée, et au bout du compte la vie —, non, ce qui, je crois, faisait que ma grand-mère s'imposait et l'imposait à mes yeux, c'était la réelle et pénible disproportion de sa vivacité d'esprit confrontée à la maladresse bonhomme, souriante et gentiment obtuse du grand-père ; à cela s'ajoutait une physionomie incroyablement plébéienne, une trogne sympathique mal appariée — quoique fort plaisamment — avec la finesse cléricale de sa compagne. Lui, je ne le craignais pas; il ne me troublait pas davantage que les compères de Félix autour des tablées de gros vin. Je « l'aimais bien »; mais je crois que si j'ai jamais aimé l'un des deux, ce fut Clara, dont les yeux douloureux et vagues, à peine effleurant les choses et se les assimilant pourtant d'une caresse, avec des pauses lourdes de regrets aussitôt contenus, me serraient le cœur.

Je remarque à ce propos que, dans mon enfance, je n'ai jamais pu admirer que des femmes, du moins au sein de ma famille, en laquelle nul « père » ne m'aurait su être un modèle — et même les pères imaginaires que je substituais au mien étaient de pâles figures : un instituteur trop prolixe, un ami de la famille trop taciturne, dont je reparlerai. Mais n'aurais-je pu, sautant d'une génération en arrière et me faisant fils de l'autre siècle, du passé, reporter l'image paternelle sur l'échelon antérieur, grand-parental ? Sans doute l'ai-je fait, et je n'en veux d'autre preuve que ces pages, qui l'une après l'autre tentent de s'engendrer du passé, sans doute l'ai-je voulu, mais sans pour autant avoir lieu de me féliciter de ce vieillissement fictif; en effet, intellectuellement, et pour la branche maternelle comme pour la paternelle, la femme était incomparablement supérieure à l'homme. Quoique fort atténuée, la disparité de Clara et d'Eugène se répétait en Élise et Félix; quoique la relative lourdeur d'esprit de Félix eût été davantage le fait d'une impulsivité confuse, d'une sensibilité à fleur de peau, un peu égoïste et brouillonne, qui oblitéraient le jugement, que d'une foncière incompétence de ce jugement même — comme c'était, je crois, le cas du grand-père de Mazirat —, il n'en demeure pas moins que sa pensée bavarde et vite embourbée ne pouvait l'emporter à mes yeux sur les traits d'esprit (remarquablement concis parfois, quoique à l'encontre de Félix elle répugnât aux jugements définitifs, à l'emporte-pièce) dont était capable Élise. De même, encore que moins flagrant, moins bien conservé que par la haute et droite silhouette de Clara, quelque chose d'aristocratique, nostalgique et réfléchi, subsistait chez Élise au-delà de toute déprédation du corps. Et puis, des mots prestigieux et incompréhensibles — Dieu, le destin, l'avenir — passaient les lèvres de l'une et l'autre ; suis-je sûr que l'intonation qu'ont encore aujourd'hui ces mots — en quelque oreille intérieure qui au fond de moi les entend résonner —, leur timbre n'est pas celui que l'une et l'autre y ont gravé ? Bref, je les écoutais « d'une autre oreille » ; elles savaient parler : la première avec quelque ostentation (elle passait pour un peu bigote), Élise au contraire avec cette obstination adorablement paysanne, pudique dans les larmes même, à ne pas prétendre parler de « ces choses-là », ces choses dont on parle pourtant, qui ne paraissent si redoutables que parce qu'elles sont universelles, ces choses qui sont de la pensée. La métaphysique et le poème me sont venus par les femmes : alexandrins raciniens dans la bouche de ma mère, et par elle évoqués au seul titre de souvenirs de lycée, mystères de grandes abstractions que véhiculaient, en leur croyance approximative, les vocables bienveillants et mal-adroitement solennels de mes grand-mères.

Quelques mots encore à propos d'Eugène, ce vieil homme massif, sincère, distrait, transparent aux autres, dont on oubliait vite la présence. Il me semble — mais cela même n'est pas sûr en ma mémoire : les souvenirs en sont flous, alors qu'y est nette comme une ombre découpée l'allure douce-ment anguleuse de Clara —, il me semble qu'il était un peu voûté, à la façon de ceux qui eurent en leur jeunesse de rudes épaules, et dont la virilité insolente de jadis se résout avec l'âge en une retombée scapulaire d'orang-outang, « manuels » trop vieux, qui ne savent que faire de leurs mains et portent gauchement un corps d'autant plus lourd qu'il fut puissant et efficace dans sa pure fonction d'instrument. Il avait été maçon, et sans doute un alerte compagnon sans histoires. Il n'au-rait pas eu d'histoire plutôt, s'il n'avait été, d'après le peu que je sais de lui, le jouet d'une faiblesse de caractère qui sans doute lui fut impitoyable et le conduisit, de déboires en humiliations, à cette semi-hébétude finale, souriante et souvent avinée, que je lui connus. Lorsque je le voyais en ce temps-là, ce n'était pas à cela que je pensais : sa trogne enluminée et navrée à la fois — plus que de clown, de Roi Lear après les débâcles, soudard aux reins brisés, toute honte bue —, son gros nez rouge, ses non moins grosses et rouges mains, les invraisemblables plis de ses paupières de chien, sa voix coassante enfin, tout cela me donnait plutôt envie de rire — de ce rire d'enfant anxieux, qui est

75

une manière de tourner le drame, de nier le malaise. Cette secrète envie de rire, je me la reprochais ; porter un œil dubitatif, ironique même, sur « quelqu'un que je devais aimer », cacher cette pensée scabreuse : mon grand-père est bien laid, me semblait une faute de la plus haute gravité ; sans nul doute, la faculté de telles spéculations impies était le fait des « monstres », et d'eux seuls ; j'étais donc un monstre ? Aussitôt, je me promettais de mieux l'aimer ; et, à cette promesse — tant le drame intérieur où l'on joue tous les rôles est le grand ferment affectif de cet âge qu'on dit tendre —, il me revenait des bouffées d'affection pour le pauvre vieux bougre ; mes yeux s'embuaient des douces larmes du rachat, que j'aurais voulu parfaire par d'évidentes manifestations de gentillesse ; je ne sais si j'osais alors les réaliser.

J'ajoute que le bonhomme était sentimental : alors que sans surprise je voyais Clara souvent au bord des larmes (les pleurs de femmes me semblaient dans l'ordre des choses, ni plus ni moins compréhensibles que la grippe ou la pluie, mais toujours fondés), en revanche le sanglot brutal et massif d'homme peut-être ivre qu'exprimait mon grand-père, lorsque au soir il regagnait la guimbarde avant-coureuse de l'odeur vieillotte de leur maison de Mazirat, ce pleur-ci me déconcertait. J'étais certes habitué à ce que Félix pleurât de la sorte, lorsqu'une émotion sincère soudainement brisait sa voix, ou quand il avait trop bu : c'était le même sanglot sec, bref, vite escamoté ; c'était un pleur, et ce n'en était pas un. Sans doute savais-je bien déjà que mes deux grands-pères avaient ensemble bu beaucoup de vin, ces jours-là — et quel était-il alors, autour d'une bouteille, le tête-à-tête de ces deux hommes contraints au mutisme des choses essentielles ? À l'aide de quels faux-fuyants, de quels mots sans conviction, évitaient-ils en ma présence, et sans doute ailleurs, de nommer le « disparu », le traître de ce mélodrame qui en était aussi le *deus ex machina* dont ma présence attestait la trace, le metteur en scène déserteur sans lequel pourtant ils n'auraient pas été réunis autour de cette bouteille, cherchant de rares mots, comédiens sans régie ni souffleur ayant oublié leur rôle ? Quels silences conjuraient ou ravivaient la fuite de leurs espoirs anciens, la faillite de ce jour rétrospectivement nul où ils mariaient leurs enfants, et qu'ils avaient pleuré comme aujourd'hui, d'une émotion qui n'était pas celle d'aujourd'hui ? Ces conversations factices, gênées et pourtant pleines de bon vouloir, il me semble les entendre.

On m'a raconté — vraisemblablement Élise — qu'au temps de leur jeunesse, Clara avait quitté Eugène, croyant sans doute le quitter pour toujours ; puis, au temps où « le masque et le couteau » deviennent accessoires inutiles, où le seul masque est celui des rides, où le souvenir seul aiguise ses longs couteaux dans les vieilles têtes, ils s'étaient appariés de nouveau. Je ne sais si mon père est indubitablement le fils du vieux maçon ; je ne sais quel âge avait l'enfant lorsque Eugène revint, ou fut de nouveau accepté au bercail ; mais sans doute celui-ci fut-il pour celui-là un père que sa nullité absentait; et, même s'il fut parfois présent, c'était un modèle intellectuellement inacceptable pour quelqu'un dont certaines qualités de l'esprit furent sans doute un trait essentiel — si j'en crois l'insistance sur ce point de tous ceux qui, l'ayant connu, m'en parlèrent, et compte tenu du fait que ces témoins étaient d'humbles gens, de ceux qui font emploi du mot « intelligence » pour rendre compte de ce qu'ils pensent n'avoir point. Sur Aimé, l'influence de ce père qu'il aima, ou qu'au contraire il détesta comme un miroir déformant posé sempiternellement devant lui à la table familiale, fut sans doute indirectement négative; comme moi, il dut ressentir douloureusement une défaillance des branches mâles, une promesse non tenue, un rien marié à la mère; autour de ce rien, de cet évidement du cœur qui appelle les larmes, se façonna la sensiblerie féminine d'Aimé, dont j'ai tant de preuves; dans ce rien encore, s'ancra son apparent cynisme; sans doute épuisa-t-il sa vie en recherches de bouts de ficelles à lier en place de ce chaînon manquant; et peut-être fut-ce aussi pour combler ce vide-là que l'alcool entra dans son corps et sa vie — avec la place qu'on sait, celle de la plénitude toujours empruntée et toujours évanouie, la place tyrannique de l'or liquide qui dans les flancs de ses bouteilles recèle autant de pères, de mères, d'épouses et de fils que l'on veut. Mais j'incline à penser qu'il but aussi pour libérer sa volonté, fuir son amour pour une mère hélas inoubliable.

Je pense aux dimanches un peu tristes que Clara et Eugène passaient à Mourioux : journées écourtées, qu'ils faisaient tenir entre onze heures du matin et cinq heures du soir, pour ne pas avoir à rouler de nuit, quoique Mazirat ne fût pas à plus de cent kilomètres. Je pense surtout à l'inévitable carton de cadeaux hétéroclites, emballés par de vieilles mains inquiètes avec un soin exagéré : des innombrables boules de papier journal froissé qui en avaient évité le bris sortaient de la vaisselle surannée, des miroirs, des jouets d'avant-guerre, avec çà et là, incongrus et charmants, un poudrier, un briquet sans pierre, un animal-tirelire auquel manquait une patte — tous objets qu'ils n'auraient su acheter, étant pauvres et loin de tout, mais dont ils se dépouillaient pour moi. Un rituel tacite prescrivait le maniement de ce carton : ils le sortaient de la voiture, en arrivant, le déposaient dans un coin de la salle à manger ; je le lorgnais longtemps du coin de l'œil, ou, l'ayant oublié un instant, mes yeux revenant à lui me rappelaient délicieusement sa présence : car, le plus souvent, on ne le déballait qu'après le repas ; Clara s'en chargeait, avec une lenteur un peu théâtrale, un sens du suspense, un souci des effets que — eu égard au peu de valeur des objets — elle savait réservés à ma seule impatience avide d'enfant : je crois que je l'amusais, et qu'elle me trouvait même un peu balourd ; ce moment était le seul de la journée où une infinie malice un peu hautaine pétillait dans son œil. Elle savait plus que quiconque combien dérisoires étaient ces brimborions, et ne s'en excusait pas :

souveraine et modeste, elle les nommait en peu de mots, présentait à gestes rares et justes ses faïences ébréchées ainsi qu'elle eût offert de vieux saxes, et, ouvrant avec des précautions un écrin défraîchi, nous tendait d'un doigt de diamantaire une de ces horribles bagues d'aluminium que bricolaient naguère les soldats.

Nul ne parlait évidemment jamais de l'absent ; était-ce accord, tacite ou non, entre les deux familles ? Avait-on délibéré, avant ma comparution d'accusé d'avance innocenté, et s'était-on entendu sur l'ellipse de l'essentiel, comme les juges de l'affaire Dreyfus statuant, avant même d'entrer dans la salle d'audience, que « la question ne serait pas posée » ? Je ne sais ; mais je sais aujourd'hui à quoi me fait penser l'atmosphère empêchée, feutrée, quasi sacramentelle dans ce qu'on tait, le goût de ces dimanches où j'avais deux grands-pères et deux grand-mères : on veillait un mort. Le cadavre escamoté était le seul prétexte à cette prolifération familiale ; ils n'étaient assemblés que pour ce deuil ; et, quand les deux misérables vieux regagnaient leur voiture, comme eux vieille et saugrenue, je ne savais à qui s'adressaient ma peine et ma pitié : à eux sans doute, qui disparaissaient d'autant plus dans le froid, les larmes et la nuit, que je ne connaissais pas la maison où ils allaient retrouver la chaleur et le repos ; au mort énigmatique ; à moi-même enfin, godiche interloqué, qui n'osais m'enquérir de l'identité du disparu et cherchais le cadavre dans les ombres montantes, dans les yeux nostalgiques de ma mère, dans mon propre corps aux genoux rouges de froid. Je m'étonnais de n'être pas mort, mais seulement ignorant, douloureux et incomplet, infiniment.

Quand je fus au lycée, les visites s'espacèrent ; ils vieillissaient, Clara ne pouvait plus conduire ; ils vinrent quelquefois encore, à la fin des années cinquante, mais le rite était brisé. En effet, « je savais » ; à leur venue, le ciel ne se couvrait plus d'un crêpe, je n'entendais plus la nature entière occupée à clouer un cercueil ; il n'y avait personne à pleurer. Puis, ils n'étaient plus seuls ; ils profitaient des passages à Mazirat de leur fils Paul, mon oncle, pour se faire conduire ; la voiture avait changé, vieille encore pour l'époque, car c'était une Juva je crois, mais la chignole hautement saugrenue et funèbre de jadis était à la casse, ou dormait sous les toiles d'araignée d'une grange comme un cercueil en un tombeau. Du carton rituel, les mêmes vieilles mains plus tremblantes sortaient les mêmes coucous plus fêlés, mais je savais qu'ils étaient des fonds de tiroirs et Clara savait qu'ils ne m'émouvaient plus ; j'avais d'autres choses en tête, ensotté de mes succès scolaires que je jugeais plus importants que ces vieillards ridicules : la vie serait belle, je serais riche et ne vieillirais pas.

Mazirat, j'y suis allé trois fois, dont deux du vivant des vieux ; et je ne les revis pas au-delà. La maison était banale, crépie, perdue au cœur du village, bordant la modeste grand-route, face à l'école ; j'y vérifiai l'odeur perçue jadis sur les sièges de la Rosalie, quand ils la regagnaient le soir, titubants et navrés ; j'y respirai le sur, la poussière, l'informe gêne à laquelle le trop grand âge ne peut plus même accorder l'ultime coquetterie de passer pour propre. J'y reconnus la simplesse de leurs sentiments et l'irréparable de leur solitude ; ils étaient doux et mourraient avec détresse ; je sus que j'avais place parmi les fauteurs. J'y coudoyai les absences qui minaient ces murs, le passé incomblable et les fils du temps comme lui ingrats, mon père, moi-même, et à la fin le monde entier dont nous tenions lieu, tous spectres pour les deux vieux spectres, toutes absences qu'ils traînaient avec eux jadis jusqu'à Mourioux, et qui leur étaient comme un halo que ne suffisait plus même à dissiper la trop brève et rare présence de leurs chers absents : à Mazirat était le cœur de cette « absence épaisse » que presque on y palpait ; seuls des morts en passaient la porte ; et les vieux se levaient écarquillés, chancelants, vous serraient dans leurs bras comme pour réchauffer ceux que plus rien ne pourra réchauffer. Ils ne me reprochaient rien ; n'étais-je pas aussi un enfant ?

J'avais pourtant bien près de vingt ans ce matin où, non sans mauvaise grâce, je cédai enfin aux exhortations dont leurs lettres me pressaient depuis des années, et pris le train pour Mazirat ; la gare était à quelque cinq kilomètres de leur village, que je gagnai à pied ; on était dans l'été, le temps était beau, et j'eus du plaisir à marcher sous les ombrages ; chemin faisant, je composais en pensée une lettre destinée à la trop grande brune à laquelle je donnais alors mon temps, bas-bleu de bonne famille avec qui j'entretenais, en marge de nos banales amours, une correspondance que nous voulions élevée et qui était, de ma part du moins, d'une risible cuistrerie ; je falsifiais déjà le récit que je lui allais faire de cette visite à venir ; il me faudrait travestir beaucoup et mentir un peu, taire la gêne, la détresse et l'absence irrémédiable (nous étions sectateurs de la Présence), passer le nez d'Eugène, les larmes et le vin rouge, pénibles muscades que n'aurait pas tolérées le culte platonicien du beau dont se réclamait mon amie. Et je maquillais leurs vieux visages qui n'en pouvaient mais, guérissais leurs tremblements et meublais leurs silences, afin que leur image trouvât grâce auprès de la futile hellénisante.

Ainsi les trahissant, j'arrivais à Mazirat. La maison était ce que j'ai dit ; sur un meuble, un cadre contenait des photos de moi à différents âges : et Clara me dit que mon père pleurait en les voyant ; j'en regardais un autre, symétrique, où étaient des photos d'Aimé. Un absent en pleurait un autre dans cette maison d'absences, des disparus communiquaient comme des médiums par des portraits, des tables vermoulues, des effluves ; sur ce coffre, nos effigies s'adressaient les mêmes messages ostentatoires et dénués de réalité que ceux, tissés sur un tombeau, qu'échangent deux stèles commémoratives ; et sans doute, loin de ce face-à-face touchant et sinistre, nous vivions l'un et l'autre ; mais nous vivions à jamais séparés ; et notre réunion spectrale d'ici, comme une amulette d'envoûtement, nous rappelait où que nous fussions que chacun de nous portait en lui le spectre de l'autre, et pour l'autre était spectre ; nous étions l'un pour l'autre et cadavre et placard. Le soleil joua sans doute sur le bois doré d'un cadre ; je levai la tête ; on voyait par la fenêtre les trois jolies couleurs d'un drapeau appendu au tympan de la mairie, à l'approche du 14 Juillet ; des coqs chantaient dans la basse-cour voisine ; les grands yeux aimants de Clara, debout, maigre et comme morte, étaient posés sur moi.

Mon grand-père m'entraîna bientôt au café ; je revois sa balourde silhouette dansant sur le chemin dans la gloire de l'été, je sens sa main sur mon épaule et « son vieux bras dans le mien » ; il fut fier mais comme abasourdi de boire avec moi, qu'il présentait à qui voulait l'entendre comme « son petit-fils », choyant ce mot qu'indéfiniment il répétait, obtusément et gentiment, le marmonnant encore en portant le verre à ses lèvres, le goûtant avec le vin ; c'est que, de ce lien éclatant de parenté, il ne pouvait se convaincre, et voyait bien que je n'y croyais pas, peut-être m'en souciais peu ; je ne pouvais être à la fois le cadre aux portraits endeuillés et cette présence niaisement souriante, un peu grise déjà, d'inconsistant jeune fat ; aussi prenait-il acte, par sa douce litanie, de la joie qu'il fallait bien qu'il éprouvât s'il voulait s'en souvenir et, les jours suivants, entrant au café et se rappelant que naguère je m'étais tenu là et n'y étais plus, dire : « Vous l'avez vu ? C'était mon petit-fils », substituant la grâce de l'imparfait à un présent qui toujours spolie et déçoit. Nous bûmes de nombreux petits verres, sur le zinc en vieux cuivre rutilant comme toutes choses de ce jour d'été en ma mémoire ; et une obscure ivresse m'éblouit avec l'illustre soleil, au sortir du bistrot.

Je me souviens peu de la soirée, où des mains étreignirent les miennes, où des regards s'embuèrent de deuil et d'affection. Sans doute allâmes-nous, Eugène et moi, boire le dernier petit coup, et sans doute Clara, plaisantant à demi, le reprocha-t-elle à celui qu'elle tenait bien haut pour un « vieil épouvantail » ; nos pas chassèrent les derniers oiseaux, les étoiles brillèrent au-dessus de nos têtes, découpèrent nos ombres provisoires qu'un passant vit et oublia. On me mit à coucher dans une petite chambre à l'odeur moisie, au couvre-lit blanc et édredon rose crevette, à fenêtre exiguë et fraîche comme celle de Van Gogh dans Arles ; et y pendaient aussi, comme sous la plume d'Artaud la décrivant, « de vieux gris-gris paysans », serviettes rêches et buis bénit ; ma grand-mère avait disposé des fleurs, des zinnias peut-être, dans un verre ébréché — tous les vases décents ayant sombré, l'un après l'autre, année sur année, dans l'insatiable carton aux rossignols à moi destiné. Au matin, Clara vint m'éveiller ; à peine avais-je ouvert les yeux qu'elle glissait dans ma main un billet de cent francs, me donnant avec le jour ce dont elle me savait, étudiant, le plus souvent démuni ; elle souriait; alors quelque chose eut lieu, qui fut bien près d'un événement, et que ma mémoire relate comme tel : avais-je rêvé de gloire, d'amours exquisement satisfaites? Un rayon de soleil me mit-il en joie? L'indécision du réveil me fit-elle prendre le souvenir pictural d'une autre chambre pour délices de me trouver en celle-ci? Une lumière atteignit mon esprit, un élan inexplicable m'envahit; transporté, je tendis les bras; et je souhaitai le bonjour à ma grand-mère avec une sincérité qui me bouleversait. Après bien des années, je sais qu'en ce seul instant, auroral et intact, je l'ai joyeusement aimée; en cet instant de liesse, elle m'apparut dans la simple affirmation de sa présence, point si endeuillée ni spectrale que pétrie de souffrance et de joie, comme moi, comme tous; en cet instant lucide, je suspendis l'affront qui me la faisait ressentir grevée, évidée de l'absence de mon père : autre que le canal d'un dieu absenté et l'autel où brûlait la flamme en perpétuant l'absence, elle était une femme vieillie, qui avait lutté et conçu, était tombée et s'était relevée; elle m'aimait bien, le plus naturellement du monde.

Cette ivresse, je l'eusse voulu prolonger; m'habillant, je percevais toutes choses avec chaleur : ces zinnias étaient là aussi, de couleurs immédiates et de pétales durs, vivaces, volontaires et comme perdurables; par la fenêtre ouverte, le monde venait à moi, vert ombreux et bleu, visible sur l'horizon d'or comme à Byzance une icône; nul n'aurait mis en doute la présence magistrale du soleil. En bas, dans la salle aux portraits jaunis, cette illusion d'un monde eucharistique se dissipa : les anges s'étaient envolés dans les lointains d'or, nous restions entre mortels dont deux approchaient de leur terme ; mon père n'était pas là ; je repartis le même soir.

J'y revins un après-midi d'un autre été, sans doute l'année suivante ; il faisait beau encore ; je conduisais une voiture et ma mère était à mes côtés ; je me souviens de l'agréable voyage que nous fîmes, bavardant, de la robe austère d'une église romane au sein de la campagne alanguie sous le poids des blés, d'un pont de chemin de fer perdu dans la verdure comme pour illustrer un roman qu'enfant j'avais lu ; la route décrivait une vaste courbe pour l'enjamber ; je n'ai aucun souvenir de l'après-midi que nous passâmes à Mazirat. Je ne sais si je revis la petite chambre, ni les portraits ; aussi bien, les vieux auraient pu n'être pas là. Leurs gestes, qui pour moi furent les derniers, je les ai vus, et j'ignore quels ils furent ; leurs dernières paroles me sont à jamais volées, soufflés leurs adieux derrière un rideau de vent violent ; en aucun temps je ne me souviendrai de la double silhouette sur le pas de la porte, titubante et navrée, qu'ils offrirent cependant à mon ingrate mémoire, tout entiers dans la tombe et pourtant encore gentiment, héroïquement, agitant leurs mains jusqu'à ce que la voiture du petit-fils eût disparu, brouillée par les larmes bien avant que la forêt ne l'avalât, au détour définitif du chemin.

Eugène mourut à la fin des années soixante ; de ce trépas, je ne saurais préciser le mode ni la date, mais j'incline pour le printemps de 1968. J'avais d'autres soucis, et de plus urgents et nobles, que le bout du rouleau d'un vieil ivrogne : sur la scène imitée du gaillard d'avant du *Potemkine* où des enfants romanesques jouaient au malheur (et pour certains, qui le sauraient plus tard, jouaient de malheur), j'avais un premier rôle ; la douceur ardente de ce Mai, la fièvre qu'il donnait aux femmes aussi promptes à satisfaire nos désirs que les manchettes complaisantes des journaux l'étaient à flatter notre fatuité, tout cela m'émouvait davantage que le décès d'un vieillard ; au reste, nous haïssions la famille, sur un air connu ; et sans doute, grimé en Brutus, déclamais-je le plus sérieusement du monde des poncifs libertaires, le jour où s'engorgea le sang du vieux clown, lui fit un masque triomphant et plus cramoisi que jamais, plus vineux dans l'ivresse de la mort qui est celle de mille vins, et enfin reflua à son cœur après l'inimitable prestation de l'agonie. Clara porta seule en terre, avec quelques voisins, le corps du polichinelle. Il est mort comme un chien ; et la pensée me réconforte, que je ne mourrai pas autrement.

Peu d'années après, on m'avisa de l'hospitalisation de Clara : des maux de vieillesse la tourmentaient, elle ne voulait pas rester seule parmi ses fantômes, dans la petite maison crépie ; sans doute n'emporta-t-elle, dans une valise usée que d'autres mains mirent à l'arrière d'une ambulance, que quelques effets, l'odeur que j'ai respirée enfant dans la patache et dont je me souviens, et la réserve d'absence des portraits ; elle écrivit à ma mère ; elle suppliait que je vinsse ; je ne vins pas. Elle envoya encore quelques lettres, toujours à ma mère, et l'une fut la dernière ; elle vivait encore pourtant, nous le savions. À moi, elle n'écrivit pas : c'est que je n'étais plus un enfant, j'avais dédaigné de suivre les cendres d'Eugène, je la laissais mourir et me taisais. Je reniais alors mon enfance ; j'étais impatient de combler le creux qu'y avaient imprimé tant d'absences et, m'autorisant de sottes théories à la mode, j'en faisais grief à ceux qui plus que moi en avaient souffert. Le désert que j'étais, j'eusse voulu le peupler de mots, tisser un voile d'écriture pour dérober les orbites creuses de ma face ; je n'y parvenais pas ; et le vide têtu de la page contaminait le monde dont il escamotait toute chose : le démon de l'Absence triomphait, me refusant avec bien d'autres affections, celle d'une vieille femme que j'aimais. Je ne lui ai pas écrit, elle n'eut rien de moi ; nul carton de friandises ne lui vint, qui eût été le reflet de ceux que si patiemment, si tenacement, elle avait jadis amenés de la patache à la salle à manger. Elle mourut enfin ; et je veux croire que dans les derniers jours, elle se souvint une fois, un instant, qu'un jouvenceau ensoleillé lui avait bien allégrement souhaité le bonjour, un matin clair, dans une petite chambre où flambaient des zinnias.

Je revins une dernière fois à Mazirat avec ma mère, qui voulait se recueillir sur la tombe de ses beaux-parents; je ne sais pourquoi je la suivis; j'étais alors incapable du moindre désir. Je sombrais; pour des raisons qu'on apprendra, j'accusais avec grandiloquence le monde entier de m'avoir spolié, et parachevais son œuvre; je brûlais mes vaisseaux, me noyais dans des flots d'alcool que j'empoisonnais, y diluant des monceaux de pharmacopées enivrantes; je mourais; j'étais vivant. C'est lors d'un bain semblable dans ce chaudron de sorcière que je me tins, absent, devant ce tombeau dans lequel, comme toujours, il n'y avait personne. Hélas, pauvres spectres! Le prince de Danemark n'était pas plus niaisement distrait dans sa folie simulée que je ne l'étais dans ma mort fictive, debout devant l'arpent où vous étiez couchés. Je me dissimulai derrière un if pour avaler une dose de Mandrax; de l'arbre trempé de pluie, l'eau inonda ma tête vacillante; je m'assis sur un marbre pour m'essuyer d'une main vague, un sourire béat sur les lèvres; je n'ai pas d'autres souvenirs de ce jour où j'allai saluer vos dépouilles.

J'ai menti: j'en ai un autre. Nous allâmes dans ce café où mon grand-père avait été heureux, afin que ma mère fût au chaud pour échanger quelques mots avec une vague parente que nous rencontrâmes; je suivis, chancelant et hilare; de ce que dit cette femme, de parole et de mise vulgaires, j'ai retenu ceci: mon père, à l'entendre, était parvenu à l'ultime degré de l'alcoolisme et, disait-on, se droguait. Nul n'entendit le rire terrifié qui secoua mon seul esprit: l'Absent était là, il habitait mon corps défait, ses mains agrippaient la table avec les

miennes, il tressaillait en moi d'enfin m'y rencontrer; c'était lui qui se levait et allait vomir. C'est
lui, peut-être, qui en a ici fini avec l'histoire infime
d'Eugène et de Clara.

Vies des frères Bakroot

Ma mère me mit en pension à un âge encore tendre ; non par brimade : on en usait ainsi, le lycée étant loin, les gares peu desservies, les transports coûteux ; et puis, aux yeux de ceux à qui grand air et liberté n'apprennent que quelques gestes essentiels, tôt harassants et monotones dès la jeunesse, il semblait légitime que la tâche glorieuse, toujours nouvelle et sans cesse s'améliorant, d'apprendre le pourquoi de toutes choses s'assortît, peut-être se payât, d'une claustration quasi monacale, romaine. Moi-même, j'y fus dès longtemps préparé. « Quand tu seras en pension... » : c'était là un état transitif certes, vers l'âge adulte, le bonheur et la simple gloire de vivre qui m'écherraient, pour peu que je le veuille ; mais il n'était pas que ce passage : c'était une pleine durée de sept ans au cours desquels le latin deviendrait mon bien, le savoir ma nature, les autres mon combat et sûrement ma victoire, les auteurs mes pairs ; j'approcherais ce Racine dont ma mère sur ma demande récitait d'incompréhensibles phrases,

différentes mais égales, singulières, l'une régulière-
ment recouvrant l'autre comme les mouvements
d'un balancier d'horloge, pour concourir à un but
lointain qui n'était pas la fin du jour; je saurais
quel est ce but, la grève vers quoi tendent ces
vagues; j'aurais des amis présentables; je parlerais
en sorte que moi-même et les autres, l'un pour sa
délectation et les autres avec respect, sachions que
j'habitais le cœur du langage quand ils erraient à
ses entours; le prix à payer était l'enfermement.
C'était surtout renoncer à voir chaque jour ma
mère, errer avec elle dans la tendresse des entours
du langage. Le destin se réservait une autre pré-
bende plus noire, non pas avouée mais à mes yeux
certaine, qui me faisait frémir; c'est qu'un jour et
bien des années auparavant, j'avais fait un rêve :
mon grand-père très haut dans un cerisier sous un
ciel parfait, cueillait des cerises; il chantonnait, et
moi au pied de l'arbre je convoitais les jolis fruits;
je l'appelai : il tourna la tête et la baissant un peu
me sourit, dans ce sourire son pied manqua, il
tomba lentement dans un fracas de branches, une
débauche de fruits jaillissants. Il se disloqua sous
mes yeux. Il m'avait souri pourtant; cette tendresse ne l'avait donc pas sauvé? Je sanglotai,
appelai, ma mère vint. Quand, lui dis-je, quand
mourront-ils, ceux dont je ne pourrais me passer et
qui sont vieux? Elle éluda puis, voulant dormir et
pensant me rassurer par une échéance si lointaine
qu'un enfant la croirait infinie : quand tu seras au
lycée, me dit-elle. Je n'avais pas oublié. Entrer au
lycée était entrer dans le temps, le seul temps repé-

rable à cela qu'il porte des disparitions définitives ; j'abordais l'époque où les immunités tombent, où les cauchemars sont vrais et où la mort existe ; mon appétit de savoir marcherait sur des cadavres : l'un n'allait pas sans les autres. Mes grands-parents moururent bien après la fin de ma scolarité ; mais j'étais en quelque sorte toujours « en pension » : me séparer de ma mère ne m'avait pas fait embrasser les choses ; le langage demeurait un secret, je ne m'en étais pas emparé et ne régnais sur rien ; le monde était une chambre d'enfant, j'y devais chaque jour « commencer des études » dont je n'espérais plus grand-chose. Mais je n'avais appris aucune autre posture.

Ma mère donc, un jour d'octobre, me conduisit dans cette maison magique d'où je pensais sortir papillon. La butte que couronne le lycée porte des marronniers qui se défeuillaient ; le haut bâtiment où des briques éteintes alternent avec des granits perdait superbement le noir de ses ardoises dans le ciel noir. Il me parut multiple, orthogone et fatal, caverneux comme un temple, une caserne de lanciers ou de centaures ; je n'eusse pas été surpris que le Panthéon, ou aussi bien le Parthénon, dont je ne connaissais que les noms et que je confondais l'un et l'autre, y ressemblassent. C'est que là aussi se tapissait le Savoir, bête antique, inexistante et pourtant goulue, qui vous prive de votre mère et vous livre, à dix ans, à un simulacre du monde ; de cela s'émouvait le vent dans les marronniers démontés.

L'après-midi s'écoula en formalités d'installation ; ma mère s'activait à la lingerie, au dortoir, à l'étude ; mon nom apparaissait sur des placards, un lit. Je ne m'y reconnaissais pas ; mon identité était dans ces jupes que je suivais, craintif et honteux de ma crainte, la présence de ces garçons malhabiles mais indiscrets m'interdisant de me jeter vers elles, d'y redevenir petit, d'y renoncer à mes prérogatives absurdes dont l'usage m'épouvantait. Le soir vint, nous nous séparâmes ; mon cœur s'élançait avec celle qui partait, prenait la micheline, consterné arrivait à Mourioux où je n'étais pas ; que faisait ici mon corps de plomb ? La récréation nocturne me jeta dehors : le grand vent soulevait dans la cour toute noire d'étranges papiers froissés, lunaires mais obscurs, des journaux ouverts qui soudain s'enlevaient et trouaient la nuit, tout blancs et spectraux comme des hiboux, à la merci d'un rien ; tournoyant, ils sombraient. Je m'abîmais dans ces disparitions infimes ; je pleurais et déguisais mes pleurs. D'autres godiches de première année, comme moi enracinés dans les longs préaux, regardaient avec des yeux ronds ce puits d'ombre où des choses débiles tombaient ; la lumière jaune du préau qui d'aplomb sur leurs têtes s'inclinait, les amenuisait, les isolait, ils n'osaient y faire que de petits gestes, touchaient dans une poche un canif, regardaient avec une lenteur imbécile leur montre neuve, esquissaient un pas vite renoncé, furtivement se baissaient et ramassaient un marron dont ils ne savaient plus que faire, en pétrissaient un peu l'énigmatique écorce, il disparaissait dans la poche des blouses, on n'y pensait plus. Certains, sous leur béret, s'abolissaient; d'autres, en blouse trop longue, flottaient comme des petits vieux; ils se savaient stupides, devinaient tous leurs gestes frappés d'ineptie; ils avaient le cœur gros.

Parfois, un galop de centaures venait de loin dans le noir à travers la cour défoncée, un groupe de plus grands surgissait. La blouse ouverte derrière eux volait comme un manteau de cavalier, le béret sur l'oreille les faisait crânes; ils avaient appris comment, enchérissant sur l'incongruité des oripeaux et revendiquant comme un fait d'élégance une laideur subie, on s'en drape, on s'en fait gloire, on est un autre : pour peu qu'il la porte bien, tout écolier dissimule sous sa blouse le gilet de Monsieur du grand Meaulnes. Ces gandins en imposaient. Ils faisaient cercle autour d'un petit dont le désarroi croissait sous des questions grossièrement mielleuses et des rires, selon un procès pervers et d'emblée prévisible au terme duquel il ne pouvait que se révolter ou éclater en sanglots; dans l'un et l'autre cas il était rossé, soit qu'on fît mine de s'indigner d'une rébellion hors de saison et qu'on l'en châtiât, soit que son attendrissement indigne méritât le statut de fille et, comme tel, des gifles. Les pions fermaient les yeux : tout cela était dans l'ordre des choses. Ses tourmenteurs disparus, le petit reniflait un peu, regardait intensément par terre en rajustant son béret, retrouvait dans sa poche le marron; l'impénétrable écorce brune une fois encore l'étonnait, le volume lisse et sans faille le comblait et, tendu vers cette plénitude, douloureusement il s'y perdait. Ainsi était toute chose;

opaque, sur elle-même refermée, soumise à des causes massives et illisibles : le vent aveugle étreint avec passion les feuillages, arrache des bogues et les jetant les brise, les dénude, les met au monde, le marron sans yeux court un peu sous les vôtres, s'arrête.

Mon tour vint, j'essayai de l'une et l'autre défense, révolte et larmes, et sus à quoi m'en tenir. L'immense préau, qui ceignait la cour sur trois côtés, s'offrit à mon chagrin ; mes pas, et une sombre délectation, me portèrent vers l'extrémité la plus venteuse et la plus désolée : l'air du dehors s'y engouffrait sans liens par-dessus un mur plus haut que nous derrière lequel on devinait, sous la nuit noire, le champ déclive de ronces et de chiendent qui gâtait alors les arrières du lycée. Une porte vitrée donnant sur un escalier nu, très large mais vétuste, empoussiéré sans remède, battait sans cesse au moindre souffle ; la seule lumière ici était celle que dispensait l'ampoule pendue sur la première volée de marches, et dont les vitres de la porte concédaient quelques restes qui se perdaient avant la limite du préau ; une pluie froide doucement s'était mise à tomber ; les journaux alourdis ne volaient plus, sur place se détrempaient, devenaient terre ; un nouveau était là, dans la lumière jaune et le vent, les bras croisés.

Celui-ci était nu-tête. (Mais les bérets dont j'affuble ces gamins sont-ils vraiment de mon enfance ? N'en coiffent-ils pas de plus pauvres, de plus enfouis, de plus désastreusement niquedouilles, dans des lectures anciennes à travers lesquelles à plaisir je les vieillis et me vieillis, je nous enterre ensemble ? Je ne peux en décider.) Les cheveux, jaillis tout droit du front en boucles épaisses et dures, d'un blond-rouge éteint, étaient ras sur les tempes et la nuque ; la mauvaise lueur qui attisait ce toupet ne divulguait du visage retiré dans la nuit que la tache claire d'un menton saillant et un peu gros ; on devinait au maintien la bizarre résolution d'un regard planté droit qui dans cette ombre, sans doute, me regardait. Il portait sur sa blouse une veste de suédine aux manches trop courtes, roussâtre aussi, et dont les poches déformées se bosselaient d'un contenu énigmatique : avec convoitise, j'y pressentis le patient bric-à-brac et les gris-gris qu'amassent certains mômes, dans des collections composites auxquelles président des lois aussi fatales, chiffrées et aberrantes que celles qu'on dit de nature, mais qui, avec l'âge, vous deviennent aussi douteuses que sont patentes les lois de nature, quoique les unes et les autres demeurent impénétrables. Je n'eus pas le loisir de l'observer longtemps : les grands étaient sur nous ; ils m'avaient déjà martyrisé, et s'en souvenant me délaissèrent. Ils se jetèrent sur le petit ténébreux.

La monotone épreuve commença ; le bambin s'était dérobé un peu, et les aînés l'avaient rejoint sous la pluie qui faisait au groupe un halo bleuté ; je m'en tins prudemment à distance. Mais très vite je tendis l'oreille : quelque chose n'allait pas. Une des voix, non plus sarcastique ni feinte, mais grossièrement coléreuse, grondante et exaspérée, détonnait ; bientôt d'ailleurs les autres se turent, comme

99

choqués ou subjugués, et je n'entendis plus que cette grosse voix esseulée d'enfant. Le sens de ses paroles ne différait pas de celles qui m'avaient arraché des larmes : mêmes questions captieuses et saugrenues, mêmes chicanes policières, mêmes mises en demeure sans issue possible ; mais toute délectation sadique, toute maîtrise comme négligemment exercée et dans cet exercice, cette négligence, se décuplant, avait déserté ce discours : le cœur n'y était pas, qui fait la justesse du ton, ou peut-être y était trop. Ce que disait ce cœur, c'était une fureur impotente et passionnée, comme un sanglot de vieille victime tenant à merci son bourreau, imaginant avec une défaillance d'amoureux qu'il va employer à se venger les brodequins et les poucettes dans lesquels il a si longtemps gémi, mais il ne sait pas s'en servir, ses mains exaltées tremblent et dans cet émoi les outils tombent, s'éparpillent, en vain il s'emporte et hurle sous l'œil du bourreau impavide. Le petit n'était pas impavide pourtant : je voyais trembler son gros menton ; mais face à lui et le surplombant un peu, un autre gros menton tremblait ; la même pluie ou les mêmes larmes coulaient sur l'un et l'autre ; et, au-dessus des deux visages que l'ombre violemment usurpait mais qui par éclairs dévoilaient la même teinte de craie, le vent hérissait deux tignasses pareilles. Dans ce jeu de miroirs les deux enfants souffraient. Ils se ressemblaient comme des frères.

Le grand gueulait de plus en plus et commençait à frapper, à petits coups mauvais, de tout le poids de ses poings courts. La cloche de l'étude ne l'apaisa pas : la sonnerie électrique s'éternisait, mais dans cette stridence accordée à la pluie et au vent, monotone et panique comme un météore, il persistait dans son dire nul, muet pour tous et gueulant pour lui seul, sombrement se délectant de ce mutisme tempétueux qui l'égosillait, qui l'invalidait. Quelque chose de parfait se réalisait là. Nous répondîmes à l'appel, le petit réussit à nous suivre ; comme nous nous éloignions, le plus grand resta un moment sur place, sans un mot maintenant et sa gesticulation haineuse retombée, son regard mêlé à la pluie qui ruisselait sur la butée de nuit proche ; nous nous mîmes en rangs devant la porte de l'étude, dans l'odeur des blouses, je le vis enfin s'ébranler, lentement d'abord, et je ne le voyais plus quand j'entendis son pas mat courir sur le sol détrempé dans le noir, vers l'étude des Quatrième.

Aujourd'hui, je ne saurais dissocier les frères Bakroot de cette pluie qui me les livra, de ce vent jauni par une ampoule exténuée. Je revois le petit excellant dans un jeu niais que nous aimions, une sorte de joute où le champion de chacun était un marron qui, percé et traversé d'une ficelle, devait en briser d'autres de la même façon agencés ; je vois avec quels gestes circonspects il déballait à l'étude ses méchantes collections, soldats estropiés, noix peintes et clés énormes, plus tard ses photos de femmes ; je reconnaîtrais sa voix morte, celle que vola sa voix d'homme. Je pense à l'aîné dans la cour d'honneur qu'ensoleille mai, jouant à la paume les dents serrées, osseux, gauche et efficace ; il s'adosse à un marronnier dont l'hébétude et le mutisme bercent les siens tendrement, il passe le bout de sa langue sur sa dent cassée, le gris de sa blouse se noie dans le gris de l'écorce, il n'est plus là ; puis il pousse une gueulante et je me revois sur le carreau où une de ses colères aveugles m'a jeté. Je les vois s'affronter en bien des lieux, à bien des âges, et aujourd'hui sans doute celui qui est resté ici-bas sent-il parfois sur son visage un souffle, à sa taille une poigne d'air, et derechef lève sa garde devant ce frère léger que les nuages emportent. Mais leur emblème à tous deux et comme leur manteau demeure cette nuit délavée, cette nuit de commencement où finissait la meilleure enfance, cet automne basculant dans l'hiver où à jamais leurs traits crayeux sont pris.

Ils étaient bien de l'hiver. Et leur nom boueux et têtu ne mentait pas : ils étaient aussi, sans doute par l'ascendance lointaine qui m'importe peu, et bien davantage par la gueule et par l'âme qui s'y lit, ils étaient aussi profondément des Flandres. Les frères Bakroot étaient les rejetons égarés d'une sorte de folie médiévale, terreuse et pour tout dire flamande ; ma mémoire les tire vers ce nord ; ils y cheminent indéfiniment à la rencontre l'un de l'autre sur une terre de tourbes, d'étendue vaine que la mer de part en part étreint, de polders et de patates naines sous un ciel colossalement gris dans la manière du premier Van Gogh, l'un peut-être ladre et précédé d'une crécelle, ou vilain labourant en braies brunes au premier plan d'une Chute d'Icare, et l'autre, le plus jeune, le mieux dégrossi, portant à la mode batave, c'est-à-dire provinciale, pluvieuse et comme de deuxième main, la collerette à l'espagnole et l'épée tolédane. Leur visage, je l'ai dit, était de chaux ; sur ce teint friable un menton de pierre affleurait ; à leur pâleur puritaine aurait convenu le haut chapeau patibulaire des parpaillots d'Haarlem ; là-dessous la morne déraison d'un œil bleu de Delft qui ne perd pas de vue les glaces infernales et les porte sur ce qu'il voit. La broussaille des mauvais sourcils blonds n'exprime rien, trop pâle pour la colère, trop obstinément touffue pour la joie ; mais à la bouche épaisse qui tremble, on voit bien qu'ils retiennent leurs larmes. Laissons ce Brabant de légende, laissons-les s'empoigner et redevenir petits enfants.

Rémi Bakroot, le cadet, était dans ma classe. Il était gaiement insociable, mais cette gaieté parfois se fêlait et dévoilait un fond d'indifférence braque, une détresse péremptoire qui effrayait. Je me souviens d'une étude du soir, au printemps ; j'y voyais bien Bakroot, assis devant moi près de la fenêtre ouverte où l'haleine des marronniers montait avec la tombée du jour : la tignasse chaude y baignait, violente comme l'odeur des fleurs. Sa collection d'alors (il en changeait sans cesse, répudiant l'une pour l'autre ou les appariant au contraire selon des raccords imprévisibles) était faite de bricoles pour pêcheurs à la ligne, des flotteurs, des mouches, des cuillers, des nœuds de plumes éclatantes autour

103

d'hameçons vicieux ; il avait tout sorti sur son pupitre, à l'abri symbolique d'un classeur, et contemplait la série dont parfois il permutait les termes, avec l'air réfléchi et le geste d'abord hésitant, mais dont peu à peu la lenteur s'assure, qu'on voit aux joueurs d'échecs. Le pion s'en avisa, tout fut confisqué. L'enfant bouda puis, de la veste de suédine aux mille détours apparut, miraculeusement soustraite, la plus belle mouche aux plumes couleur du jour ; il la considéra au creux de sa main, la fit varier un peu dans la lumière du soir : son visage pétrifié se durcissait encore. Tout à coup, avec un rire que tous entendirent, bref et rauque comme un sanglot, sans provocation ni dépit mais comme exalté et sacrificiel, il lança le mince trait de lumière par la fenêtre vers les feuillages déjà nocturnes. Le pion ne frappa qu'un visage refermé, comme sur un mauvais chemin une charrette roule une pierre.

Il y avait alors au lycée de G. un professeur de latin considérablement chahuté, et que par antiphrase sans doute nous nommions Achille. Rien en lui de guerrier ni d'impétueux ; de l'ancien prince charmant des Myrmidons il n'avait que la stature et la maîtrise de la langue d'Homère ; c'était un vieil homme colossal et disgracié. Je ne sais quelle maladie l'avait privé de cheveux, de barbe et de sourcils ; il portait une perruque, mais nul cache-misère n'aurait su travestir la douloureuse nudité du regard dans ce visage uniformément glabre ; et cette face n'était pas de celles qu'on peut cacher, mais bien au contraire de forte complexion, patricienne, lourde, d'une sensualité effondrée, avec un nez magistral et de grandes lèvres d'un rose encore frais : le peu qui manquait à cette architecture la faisait prodigieusement comique, morbide et théâtrale comme une figure de vieux castrat à la voix rompue. Il marchait très droit, s'habillait avec goût et aimait les petits élégiaques. Virgile dans sa bouche désopilait ; des tempêtes de rire accueillaient ses entrées, les Sixième même le bousculaient, et il consentait qu'à cela il n'y eût rien à faire : il dépassait les bornes permises au cocasse, il le savait, et que la puissance de l'esprit ni la bonté du cœur, dont il était par dérision pourvu, ne sont rien si le corps fait défaut.

Achille n'avait pas de persécuteur plus impitoyable que le petit Bakroot. Les plus outrancières injures, les rires les plus mauvais passaient la bouche de l'enfant, le défiguraient. Achille imperturbable s'absorbait dans ses auteurs, déclinait, traçait au tableau les sept collines ou la rade de Carthage : dans son dos, des rimes obscènes dénaturaient les noms des dieux et des héros, les éléphants d'Annibal devenaient bêtes de cirque, Sénèque était un histrion et plus rien n'était fiable. Achille, il est vrai, en avait vu d'autres : il y a si longtemps que les Barbares ont pris la Ville, César a reconnu les yeux du fils derrière le poignard, et combien d'Eurydices n'avons-nous pas perdues — dans moins d'une heure le cours sera fini. Parfois, excédé mais désespérément calme, il descendait dans l'arène et frappait tristement ce qui passait à sa portée. Les gifles ne faisaient que nous exalter davantage. Nous

105

avions tous notre part dans cette mise en pièces ; mais la mise à mort, la parole décisive dont nous savions qu'elle avait durement touché, celle qui crispait la bouche d'Achille ou le suffoquait dans un instant de silence imbécile au beau milieu de la déclamation d'un mètre, c'était le plus souvent Rémi Bakroot qui la portait. C'était Rémi Bakroot qui orchestrait cette triste farce ; c'était lui qui dans ce but se dépensait sans compter, de toute la force teigne de son petit gosier, de toutes les paroles incomprises, balourdes et basses, glanées chez lui à la ferme, ou dans la porte des bistrots enfumés les soirs d'hiver le dimanche, quand un enfant apeuré sans passer le seuil dit à son père saoul qu'il faut rentrer. C'est qu'il avait, lui, de bonnes raisons : Achille aimait Roland Bakroot, l'aîné.

Il était tout autre, Roland, et pourtant si sem-blable ; déraisonnable aussi certes, mais sa déraison n'avait rien du panache voyou, de la gouaille un peu morose, maboule, qui forçait en Rémi l'admi-ration des gosses ; son extravagance était plus pure, abrupte et comme indigente : pas de colifichets, collections pittoresques ou coups d'éclat séditieux ; rien de monnayable dans les codes enfantins, rien dont il pût s'enorgueillir, se faire un public, mettre de son côté les rieurs, c'est-à-dire tous. Il lisait des livres. Il fronçait ce faisant son front de petite brute, serrait les mâchoires et avait une moue dégoûtée, comme si un haut-le-cœur permanent et nécessaire le liait sans recours à la page qu'il haïs-sait peut-être, mais amoureusement décortiquait, comme un libertin dix-huitième dépèce membre à membre une victime encore, avec méticulosité mais sans goût et rien que pour dépecer. Il persistait dans cette écœurante besogne bien au-delà des heures d'étude, jusqu'au réfectoire et dans la cour de récréation où, stoïque, pelotonné dans les racines d'un marronnier, dans le coin bruyant d'un préau, il s'abîmait dans le quelconque *Quo vadis* ou autre péplum de bibliothèque verte, qui le torturait. Il avait le poing dur; il sortait de ses gonds à la moindre présomption d'offense et, non moins écœuré mais plus gai, cognait : on gardait sous cape les rires que son vice burlesque et son éternelle grimace inspiraient. Il lisait donc; il marchait vers la petite bibliothèque, au bout du préau, non loin du coin d'ombre où pour la première fois je l'avais vu montrer les dents; s'il rencontrait son frère, ils grinçaient comme des chats, arrêtés, fourbes et violemment sourds au monde; puis passaient leur chemin ou une fois encore se saisissaient, amoureusement se calottaient. Je me demandais ce que pouvaient bien être leurs dimanches communs, là-bas, à Saint-Priest-Palus dont ils étaient à grand-peine sortis, sur le plateau rocheux vers Gentioux, sous le toit d'une ferme pauvre de cette terre vaine où les bruyères et les sources écorchent à peine de rose et de frais la cuirasse revêche des granits maigres : y lire *Salammbô* était inexplicablement comique; et quelle collection pouvait y naître, quelle idée même de collection, autre que la série non thésaurisable et toujours pareille des saisons qui vous tombent dessus, des jurons las du père, des têtes d'un troupeau ? Mais, leurs bricoles laissées en vrac sur la grande table à six heures du soir l'hiver, bouquins et toupies qu'éclabousse le lait frais du grand seau sous les mirages de la lampe, je les voyais aisément comme leur mère par la fenêtre pouvait les voir, sur la lande dans la nuit qui vient, sans répit se cherchant, l'un à l'autre venant, se reconnaissant et s'étreignant, beigne sur beigne encore une fois se consacrant, offrant leurs peignées aux sapins noirs, au premier vol des chouettes, aux chiens rivés à terre qui hurlent vers elles qui s'élancent, petits sacrificateurs à la lèvre fendue, aux larmes amères, pieux et amochés. Et sur lequel des deux le vieux vent dans sa barbe houleuse de sapins porte-t-il un regard favorable ? Quelqu'un peut-être choisit l'un et brise l'autre, ou en choisit un pour le mieux briser, nous ignorons encore lequel.

Donc Achille, au gré d'une de ces fantaisies bizarres et tristes qui mettent de la ferveur et comme un point d'honneur dans les vies bousillées, s'était pris d'affection pour l'aîné des Bakroot. Quand la sonnerie arrachait le vieux lettré las à son heure de petite géhenne, quand, insensible aux traits des diablotins détalant dans ses jambes, il traversait la grande cour de son pas très digne, toujours lent et comme engourdi par quelque rêve calme, il arrivait souvent que par un hasard truqué Roland fût soudain là, non pas devant mais à quelques mètres sur le côté de cette trajectoire rêveuse, qu'ils se rencontrassent donc et, quoi-qu'ils se fussent d'emblée aperçus du coin de l'œil, le vieux en sortant du cours (dissimulant peut-être alors un sourire taquin et ravi) et le petit par-dessus les lignes du pensum romancé qui l'écœurait, quoiqu'ils s'attendissent sans surprise, ils faisaient mine au dernier instant de se reconnaître et de s'étonner de l'aubaine imprévisible qui les mettait face à face. Achille tombait en arrêt puis s'approchait en élevant sa grosse voix soudain rieuse, posait lourdement sa main sur l'épaule de l'enfant qui rougissait, le rudoyait avec tendresse ; il questionnait, patient et grondeur avec quelque ironie, s'enquérait de la lecture du moment ; le petit bredouillait et maladroitement, un peu honteux, montrait le titre de l'ouvrage ; alors Achille lâchait théâtralement l'épaule, se rejetant en arrière considérait Roland en ouvrant grands des yeux stupéfaits, mimait une admiration incrédule qui déployait comme un drapeau tout ce visage de vieux castrat ; et, très haut, de cette voix policée et rompue aux foudroyantes ellipses des vieilles langues, mais haut timbrée et forte de s'être si longtemps déployée sur des mers de chahut, tel Neptune exclamant *Quos ego* il disait quelque chose comme : « Mais voilà qui est remarquable ! Voilà qui est étonnant. On lit donc déjà Flaubert ? » Le visage du petit s'allumait comme sa tignasse, le gros menton hésitait entre rire et larmes, le livre si précieux, le livre terrible et duplice pesait lourd dans sa main empotée : allons, lire était bon, tant d'heures de détresse assidue valaient d'être vécues pour cet instant-là. Le vieux pelé avec le petit hirsute faisaient de concert un bout de promenade, ils s'éloignaient par là-bas vers le couloir sombre aux odeurs de cuisine qui par le réfectoire rejoint la cour d'honneur, et de temps en temps on voyait encore Achille s'arrêter, faire en arrière deux pas pour mieux laisser tomber sur le môme le regard magistralement approbateur de ses yeux nus. Il disparaissait dans les relents de soupe, remâchant du Flaubert, de l'affection ou qui sait quoi, et le petit laissé là à son ivresse perplexe déambulait un peu, s'asseyait et rouvrait le livre, ne comprenait pas.

Au fil des ans, cette amitié étonnante ne se démentit point. Achille devint plus tard le correspondant de Roland, c'est-à-dire qu'il venait le chercher au lycée les jeudis et dimanches vers deux heures et que l'enfant passait l'après-midi avec lui, dans son foyer sans enfant, près de sa femme que je n'ai jamais vue, mais dont je crois deviner ce qu'elle était, pâtissière et patiente, soutien sans faille d'un homme ridicule dont la disgrâce l'atteignait et que jadis sans doute elle lui avait amèrement reprochée en secret, mais qui, avec l'âge dont le ridicule égalitaire atteint chacun, s'était muée en une compassion souriante pour toutes choses et une gaieté, oui, cette gaieté un peu folle de s'être si souvent vue battue en brèche, qu'on voit aux nonnes antiques et aux vieilles poivrotes. Bien plus que les auteurs et les destins romains, c'était cette gaieté-là sans doute, qui avait en retour rejailli sur lui et qu'on lui soupçonnait parfois au milieu d'un chahut, qui gardait Achille en vie. Je ne sais à quoi l'homme et l'enfant employaient ce temps commun ; mais un jeudi que nous étions « en promenade », sur la route de

Pommeil — une de ces mornes balades en rangs, encadrées d'un pion, sorties dont bénéficiaient, paraît-il, nos poumons —, je les ai vus à pas lents s'éloigner dans une allée forestière, le grand arceau des branches leur faisant là-haut comme un paradis peint, et « sous les arbres pleins d'une gente musique », en grande discussion comme des docteurs, Achille gesticulant, le petit puritain renfrogné l'interrompant, le relançant, et le vent d'automne qui bougeait leurs manteaux emportait leurs paroles savantes, leur métaphysique un peu ridicule, mais si bonnement que les feuillages attentifs sur eux se penchaient, sourds et amicaux ; des rangs de la promenade, le regard de Rémi douloureusement s'élançait, courait le long de l'allée cavalière jusqu'à ces deux petits points là-bas, et son cœur peut-être était avec eux quand sa bouche exaspérée essayait des sarcasmes, ricanait.

Mais ça, c'était dans les grandes classes, je veux dire quand les Bakroot furent déjà un peu grands. Il y avait eu auparavant les livres, ceux que peu à peu Achille se mit à offrir à Roland, les sortant de sa sacoche énorme où, parmi de tristes plutarques exténués dont les pages s'envolaient, des exégèses avachies et démodées, ils jaillissaient soudain dans un emballage frais, enrubannés peut-être, si mal assortis aux vieilles pattes du latiniste. Il y eut ainsi des Jules Verne, bien sûr un *Salammbô*, un Michelet expurgé et illustré où l'on voyait Louis XI avec son petit chapeau pingre, penché sur de lourdes chroniques que des moines de Saint-Denis, déférents, hautains, lui présentaient sous l'œil sarcas-

111

tique du barbier mauvais qu'aimait le roi ; non loin, sur une image nocturne peuplée d'hommes hâves et de bêtes fuyantes dans une forêt spectre, il y avait le pauvre Téméraire de Bourgogne que le pingre à mort détesta, le Don Quichotte de Charolais, l'élégant, le prodigue, l'emporté, au lendemain de sa dernière bataille perdue après tant d'autres, cadavre parmi les cadavres « tout nus et engelés » et les bannières bourguignonnes, brabançonnes, tombées avec leurs devises matamores, le ci-devant duc et comte à plat ventre dans la glace qui garda dans son étau cette chair ducale, nez, bouche et joue quand on voulut l'en retirer, les loups de la vieille Lorraine emportant à pleine gueule cette viande défaite, volontaire, qui si obstinément avait désiré l'Empire et le désastre, avait dans ce but tant chevauché, machiné, assiégé et sacrifié des foules, en pure perte guerroyé et désespéré, s'était les derniers temps perdue dans le vin, et était là depuis deux jours quand ils le cherchèrent et le trouvèrent dans ce grand froid de haute époque du jour des Rois de l'année 1477, et qu'un autre barbier, mais celui-ci obscur et en larmes, qui avait coutume de faire la barbe de Charles et non pas sa politique, penché sur ce quartier de boucherie s'écria, ainsi qu'on le pouvait lire en légende de l'image, ainsi que les vieux chroniqueurs nous disent qu'il a dit ce jour-là, qu'il a donc vraiment dit et c'est miracle que nous l'entendions, tandis que son haleine précaire faisait un petit nuage vite disparu : « Hélas, c'est mon gentil maître », puis le fit porter bien honnêtement, « dedans de beaux linges mis, en la maison de

112

Georges Marquiez, en une chambre derrière », dans Nancy où les rois enfin délivrés de ce frère abusif dont le pourchas avait si longtemps été leur raison d'être, venaient contempler ce qui en restait et gentiment y pleuraient, morte, la meilleure part d'eux-mêmes. À quoi pensait-il, Roland, devant cette image d'impeccable culbute ? Il la regardait souvent. Je lui demandai une fois de me la montrer, et contre toute attente il accepta, avec un peu de condescendance, lui qui avait lu le texte s'y référant et savait donc de quoi il s'agissait, et même il daigna la commenter en quelques mots d'abord réticents, bourrus et batailleurs, me livrant l'interprétation fantaisiste selon laquelle, à des signes infimes qu'il jugeait pertinents et que l'illustrateur n'avait sûrement pas voulus tels, il croyait pouvoir dire qui étaient les gens du Téméraire, qui les bourgeois de Nancy, lesquels étaient de Bourgogne et lesquels des Flandres ; le bassinet à gros bec de celui-ci le faisait duc, le heaume moins affecté de celui-là seulement baron ; et toutes ces choses ténébreuses dans le fond, lanciers ou saules noirs que la neige tombante et la nuit indécidaient, ces semblants de chevaux mêlés à des hommes dont des piques sortaient avec des oriflammes, c'était le dernier carré de Monsieur de Bourgogne et Monseigneur de Bourgogne lui-même, donc représenté là deux fois, au premier plan charogne et là-bas éthéré, tous ces morts grelottants d'avant-hier attendant à la porte du ciel qu'un saint Georges en grande tenue, visière basse, auréole au cimier et toison d'or au cou, les accueillît et, les serrant sur son cœur avec des larmes, les installât à la table ronde, la table éternelle qui sent le vin chaud. Ces élucubrations étonnantes, cette exhaustion déraisonnable et quasi mantique, renfrognaient Roland : il savait tout cela certes, mais tout cela le faisait souffrir, malgré ses vains efforts il n'en pouvait tirer gloire. Il y avait dans son exégèse forcenée comme une panique d'interprétation, une douleur *a priori*, la terrible certitude d'errer ou d'omettre, et, quoi qu'il fît pour qu'on n'en crût rien, une foi amère en son indignité : un ignoble fantassin suisse, un de ces médiocres disciplinés par qui mourut le Téméraire, et qui, trop sûr de l'enfer à lui promis, se serait dissimulé parmi les glorieuses ombres bourguignonnes attendant leur part céleste, voilà ce que Roland pensait être parmi les livres. Et voilà pourquoi il taisait habituellement ses lectures, c'est-à-dire ses impostures ; je pense aujourd'hui que s'il consentit à me parler de cette image-là, de cette histoire de « beau cousin » massacré qu'on ne jalousera plus et que pleure un homme modeste tandis que là-bas le frère félon, le lecteur de chroniques saintes, esseulé dans Plessis-lez-Tours, sent fondre sur lui l'ombre immense d'un donjon qui est du remords et une sombre liesse, si Roland donc avoua à ce propos quelque chose, c'était qu'il y avait là, épurée et écrite en lettres de noblesse, une constellation essentielle de la vie même, quand n'y suffisent plus les livres, de la passion même, enfouie, illettrée et très ancienne, de Roland Bakroot.

Il y eut aussi le Kipling.

C'était l'année de ma cinquième : je le sais précisément, puisqu'à cette époque moi-même, qui n'avais pas à mes lectures ce mentor ou ce mécène qu'était Achille, je découvrais seulement *Le Livre de la jungle*. Donc Roland, qui devait être alors en troisième, reçut un livre du même auteur, ce qui à la fois me conforta dans ma propre lecture — ce n'était pas un écrivain pour les seuls petits, comme Curwood ou Verne dont je commençais à avoir honte, mais que je n'en aimais que plus —, et me rendit très jaloux. C'était une édition magnifique, illustrée celle-ci aussi, non pas de grisailles épiques à la façon des émules de Gustave Doré qui enténébraient le Michelet, mais d'aquarelles délicates, fouillées comme des temples barbares, avec là-bas des Himalayas, les fruits empoisonnés des pagodes que portent les forêts chaudes, et plus près des rickshaws attelés amenaient qui sait vers quel plaisir de belles victoriennes à ombrelle jusque sous les pattes d'éléphants parés que montaient des maharadjahs de rose, d'amande et de tilleul, tandis qu'au premier plan, rêveurs, rasés, courtois et rapaces, des gentlemen et des fripouilles, galonnés, indiscernables sous la même vareuse écarlate et le casque parfait de la fabuleuse armée des Indes, contemplaient calmement ce monde, Himalayas, rois barbus et ladies pulpeuses sous l'ombrelle, ce monde qui était leur pâture. (Pauvre Achille, pâture du monde, qu'est-ce que tout cela pouvait bien lui dire ? Et au fils Bakroot, de Saint-Priest-Palus ?) L'or, l'or vil et glorieux, l'or que tout adjectif indifféremment peut qualifier, l'or courait là-dedans « comme le suif dans la viande » ; comme le sang indomptable dans la chair lourde, précieuse, des dolentes en crinolines ; comme les ambitions terrifiantes, pleines de whisky, de chevauchées brutales et de sanglants blasphèmes, dans l'œil impassible des beaux capitaines à l'heure fade, policée, du thé. Toute cette richesse luxurieuse hors de portée devait enflammer Roland, bien en vain ; et, avec une résignation presque joyeuse, il s'attardait sans doute sur les images qu'il jugeait plus proches de lui-même, plus conformes à ce qu'il serait un jour, les fraternelles images de chute comme celle où l'on devinait, dans un sac crasseux qu'un dément transporte de jungles en rizières sous les quolibets des singes, la tête boucanée d'un homme qui jadis voulait être roi.

Je les ai bien vues, ces images, et bien sûr à maintes reprises au vol par-dessus l'épaule de Roland qui ne les voulait pas partager, mais surtout une autre fois et tout à loisir. C'était à l'étude encore, où, comme on le sait, dans les petites classes j'étais assis non loin derrière Rémi Bakroot. D'une des poches de la veste rousse (il la traîna au moins jusqu'en troisième, de plus en plus fripée, courtaude, bossuée), il tira des papiers raides, pliés à la diable, en quatre ou davantage, cassés le long des plis, qu'il défripa sans soin et contempla avec la même attention, un peu ironique et passionnée mais irritable, qu'il faisait d'un problème de mathématiques : avec stupéfaction j'y reconnus les highlanders casqués, les dolmans à soutaches, les éléphants et les rois. Rémi n'en fut pas avare ; le

116

pion de ce jour était bon bougre, les images
déchues circulèrent. Nous étions émerveillés, un
peu effrayés aussi, et avidement nous nous per-
dions dans cette richesse, ce lointain, cette puissance figée. Rémi, son gros menton arrogant haut
perché, contemplait avec une satisfaction tendue
tout ce petit monde se disputant les dépouilles de
Roland, ainsi que du haut d'un éléphant un chef
cipaye que portent des hourras dirige geste à geste
la lente mort d'officiers de Sa Gracieuse Majesté. À
la sortie de l'étude, Roland l'attendait.

Il était d'une pâleur de cire, une pâleur rousse je
dirais de puritain flamand s'apprêtant à sabrer de
l'iconolâtre ; il ne dit mot, seuls les poings impa-
tients, les yeux fanatiques qu'une passion noyait,
vivaient. Le petit ricana, mais son mépris était
brisé et plaintif, lui aussi était défiguré, comme
offensé : « C'est à moi, cria-t-il en s'enfuyant, que
ce livre était destiné. Voleur, voleur ! » Roland
l'enlaça au milieu de la cour ; ils s'étreignirent et
sur la terre battue culbutèrent, la poussière se
mêlant à leurs pleurs, à leur bouche, comme des
amants l'un sur l'autre roulèrent, ardemment se
nouant, se dénouant, petit excès sporadique, feu
de paille sous les marronniers rêveurs, constants et
distraits. Quand le grand enfin se releva, les
images salopées, de haute lutte reprises mais à
jamais perdues, dans sa main, sa bouche saignait :
c'est de ce jour-là qu'il porta jusque dans ses rares
sourires la marque du cadet, cette dent de devant
cassée qu'on lui vit désormais et qu'amoureusement, impatiemment, il envenimait du bout de sa

langue lors de ses songeries brusques, y retrempant sa passion peut-être, ou l'y apaisant.

Ils grandirent. La pesante aventure de la croissance finissait, on s'étonnait qu'elle ne fût pas éternelle. Roland ne se déridait pas : les livres l'avaient perdu, comme disent les bonnes gens, comme un peu plus tard me dit ma grand-mère. Perdu ? Il l'était, oui — il l'avait toujours été —, dans ce monde qu'il ne voyait guère aussi bien que dans les livres qui lui en tenaient lieu, mais c'était un lieu de refus, de supplication toujours repoussée et de méchanceté insondable, comme, sous les coutures serrées des lignes tenaces l'une à l'autre crochetées, la coquetterie d'enfer d'une femme cuirassée de plomb, qui est là-dessous, qu'on désire jusqu'au meurtre, et dont le défaut de l'armure qui est quelque part entre deux lignes, qu'en tremblant on suppose et cherche, qui sera au bout de cette page-là, au coin de ce paragraphe, est à jamais introuvable, tout proche et se dérobant ; et le lendemain de nouveau on la traque cette petite boutonnière, on va la trouver, tout s'ouvrira et enfin on sera délivré de lire, mais le soir vient et on referme la page d'invincible plomb, on tombe plomb soi-même. Il ne perçait pas le secret des auteurs, la belle robe qu'ils ont mise à l'écriture était trop agrafée pour que Roland Bakroot, de Saint-Priest-Palus, non seulement pût la trousser, mais sût même s'il y avait dessous une chair ou du vent : comme je pensais le comprendre, le renfrogné, le bachelier à la Triste Figure, moi dont la crétinerie lyrique prenait vers ce même temps son irréparable tournant, sa voie crénelée de plomb, son chemin de ronde où mon tournis m'emporte, où avec les Bakroot une fois encore je valse, vers je ne sais quelle dernière phrase que sur elle-même il me faudra boucler, Gros-Jean comme devant.

Rémi, lui, et dès la classe de seconde, savait bien qu'il y avait sous la robe des filles quelque chose, des riens qui se pouvaient intensément connaître. Ses collections — continuons à les appeler ainsi, puisque c'était bien le goût d'amasser et réactiver ce qui donne du plaisir qui le guidait encore, comme quand il était petit —, ses collections furent des photos de femmes ou de filles, soit qu'il les découpât dans des revues achetées en douce, starlettes décolletées, solaires, ou scabreuses brunes haut-jarretellées dans des feuilles libertines, soit que les collégiennes de l'autre lycée, le fabuleux, l'interdit où bruissaient des jupes plissées, soit donc que ces petites sœurs, qui n'étaient pas insensibles à son appétit sombre d'oisillon de proie, à ses cheveux de paille gelée et à ses airs gouapes, lui donnassent un médiocre portrait d'elles-mêmes, une photo prise là-bas dans le jardin l'année dernière avec la robe bleue, qu'en feignant d'hésiter beaucoup et se faisant prier elles lui cédaient enfin, avec des mots chuchotés et des pressions malhabiles du bout des doigts, quand vient l'heure de se quitter avec la nuit et qu'une très jeune fille est amoureuse un dimanche de novembre. Ces fleurs bleues aussi, ces gentillettes qui n'étaient encore ni scabreuses ni solaires mais avaient une chair étonnante et dont elles-mêmes s'étonnaient sous les façons sentimentales, elles consentaient qu'en leurs jupes la main de Rémi les trouvât; et s'il n'en parlait guère, sinon en présence d'amis de son frère ou de son frère lui-même et dans le seul but de lui mieux faire mesurer l'écart entre la vie comblée de Rémi Bakroot et celle, stagnante et nulle, de Roland Bakroot, on n'en pouvait douter, car les jeudis il s'évanouissait hors de portée de ses condisciples dès la sortie du lycée, et s'il nous arrivait de le rencontrer c'était furtivement, dans un jardin public un peu sombre où une tête se penchait vers lui, ou tout au fond d'un café dépeuplé, à bouche-que-veux-tu avec une pucelle. Il n'était pourtant pas strictement beau gosse; on connaît son menton grossier et son teint de mauvais linge; on se doute que sa mise, qu'il voulait coquette, avait ces écourtements péquenots, cette insuffisance que j'ai dite batave : il portait toujours en quelque sorte la veste de suédine; c'est qu'il était de Saint-Priest-Palus lui aussi. Mais il les convoitait avec tant d'appétit, ces véroniques, ces petits gibiers tout neufs, que sûrement elles tremblaient de la faim inusitée qu'elles lui voyaient pour elles, pour leurs jupettes, leurs larmes et leur grand émoi; elles se laissaient froisser la jupe, tirer des larmes, l'espéraient et le redoutaient, et, proies de sentiments contraires dont le brûlant conflit les éperdait, elles vacillaient de tout leur poids vers lui.

Il rentrait donc le dimanche soir, ou le jeudi,

avec ce goût-là dans la bouche, cette brûlure à des lèvres que les petites ogresses avaient dévorées, et il arrivait que dans la large avenue qui conduit pompeusement au portail du lycée il rencontrât son frère, le prît de haut et peut-être le méprisât ou rapidement l'enviât (qui sait lequel des deux s'efforçait d'équivaloir l'autre, de celui dont l'intraitable maîtresse avait des jupes de plomb qui lui faisaient des mains de plomb, ou de l'autre, dont les mains excellentes connaissaient par cœur les détours du linge?); car à la même heure Roland rentrait lui aussi, avec sous le bras quelque livre et le froid seul ayant brûlé ses lèvres, le plus souvent encombré de la lourde sollicitude d'Achille, et il devait régler son pas de jeune homme quand même bouillant, quand même plein d'une certaine sève qu'il n'employait pas, sur le pas majestueux, lent et scandé comme un alexandrin, du grand vieux prof. À la porte, dans la pleine lumière qui tombait de la loge du concierge, les adieux n'en finissaient pas; et Roland qui cent fois voulait y mettre fin mais s'attirait encore quelque chaud conseil, quelque exégèse sempiternellement radotée, quelque félicitation intempestive, Roland stoïque mais à la torture devinait, posés plaisamment sur lui et son peu décoratif ami, les regards ravis et goguenards de tous les gamins qui rentraient. Achille l'embrassait enfin et lentement remontait l'avenue sous les lampadaires, ses pas marquant les vers que sa tête savait, et des césures soudaines l'arrêtaient, un pied levé en l'air, avant qu'il basculât dans un autre hémistiche et marchant de nouveau scandât on ne savait quelle lettre morte, et les collégiennes en retard qui avaient raccompagné leur galant et se hâtaient vers leur sérail de poupées, quand elles croisaient cette borne s'esclaffaient, avec des rires frais disparaissaient, si heureuses d'ajouter aux souvenirs de ce beau jour qu'elles se rediraient avec délice le soir en s'endormant, d'égayer leurs images de baisers et celles à quoi on peut à peine penser tant elles sont enivrantes et mettent le feu aux joues, de rompre tout cela qui est presque du drame par l'innocent fou rire qui vous a prise et vous reprend à l'évocation de ce vieux prof toqué, déplumé et perché sur une seule patte comme un héron.

C'est qu'il débloquait un peu, Achille, à la fin. Il arrivait que la perruque fût un peu démise, de travers et tristement canaille, sa femme était morte, la petite flamme gaie ne brûlait plus, un chahut parfois le terrassait tout à fait et sans un mot il attendait la fin, ses grands yeux nus regardant là-bas au fond quelque chose, un corps nu d'épouse jadis, peut-être. Les mauvaises langues, qui ont peu d'imagination, disaient qu'il s'était mis à boire; il est vrai qu'une fois, sur la place Bonnyaud, sous une pluie battante de nuit aigre je l'ai vu débâclé sortir du café Saint-François, martialement descendre en gesticulant le raidillon de la rue des Pommes, son imperméable trop vaste un peu batifolant dans son pas qui ce jour-là essayait plutôt de la chansonnette que de l'alexandrin, et fulminer fièrement tel, avec des effets de cape ou de macfarlane dans le vent de la cuite, un Verlaine éméché. Mais ces excès étaient rares et sûrement inessentiels : c'était un doux, il lui manquait ce grain de violence que les pochards de vocation cultivent et font monstrueusement germer dans chaque ivresse ; surtout, c'était le don qui l'émouvait, non pas le circuit fermé qui va de la main à la bouche et qui dans ce tourniquet égoïstement s'exalte et se hait, mais la main qui s'ouvre vers une autre qui prend. Il offrait donc toujours à Roland des livres, mais il arrivait de plus en plus souvent que ces cadeaux, comme réduits à leur seule fonction de don sans souci de leur contenu spécifique ni de leur appropriement au destinataire, dérapassent, manquassent leur but et fissent rougir Roland dont la gêne perpétuelle s'y comblait ; ainsi, il était déjà en Première et puisait sans doute dans le pot-pourri de célébrités du « livre de poche », où à cet âge on ne sait trop qui choisir de Huysmans ou de Sartre — mais cette indécision même vous flatte et vous consacre dans votre désir d'être adulte —, quand, cette année-là, Achille le gratifia d'un naïf Rosny « des âges farouches » et d'un *Baron de Crac* illustré : il ne l'avait pas vu grandir, cet enfant. À l'automne de l'année suivante, quand Roland entrait en Classe Terminale et moi en Seconde, une pluie de marrons et des chœurs enfantins n'accueillirent pas la première prestation annuelle du lent patricien emperruqué : il avait pris sa retraite. Il mourut la même année ; et il est terrible de penser que Roland, qui eut une permission spéciale de sortie pour aller l'enterrer, qui dès le matin au dortoir revêtit dans ce but la terne cravate et le costard écourté, avec soin se peigna, rasa son soupçon de barbe, qui pleura sûrement avec sincérité la seule personne dont il croyait avoir été aimé, se sentit en même temps soulagé de n'avoir plus à être confronté à ce triste miroir, à traîner ce boulet dont riaient les filles, à épauler ce père déchu qui n'était pas celui de Rémi son frère, mais qu'il avait pourtant en quelque façon partagé si longtemps avec son frère, l'un et l'autre le flanquant dans des fonctions idéalement opposées comme dans les images des cathédrales, entre le diablotin chahuteur et le bon ange trop compassé, une âme de pauvre homme. Donc il l'enterra, le regretta et s'en débarrassa. Dans le petit pavillon de la route de Courtille où si souvent Roland avait mangé les gâteaux de madame Achille, la follette, sous l'œil bon, sentencieux, du vieux maître, je me demande ce qu'est devenue la seule propriété à laquelle Achille tînt, tous ces bouquins sans héritier ; je me demande dans quelle salle des ventes, dans quel grenier se pulvérisant ou dans quelle cave pourrissant, reposent comme des morts mais que n'importe quelle main amie peut ressusciter, les livres niais qu'il destinait encore à Roland et n'eut pas le temps de lui offrir, et les autres livres, pompeux, ingénument humanistes et tautologiques, dont il se promettait d'égayer ses derniers ans. Mais peut-être que Là-Haut les vieux auteurs, les vrais dont toujours on est indigne, et leurs intercesseurs, les benoîts exégètes à barbiche début de siècle, lui disent eux-mêmes leurs textes, d'une plus vive voix que les voix des vivants.

Roland, lui, se doutait bien que les auteurs ne parlent pas de vive voix ; il demeurait dans leur interminable silence ; il s'enfonçait de plus belle dans le tourbillon de ces passés que nul n'a jamais vécus, ces aventures comme arrivées à d'autres et qui pourtant n'arrivèrent à personne. Tout petit, il avait su un jour, avec enchantement ou dans un malaise, qu'à Mégara, dans ses jardins modern'style, Hamilcar avait donné un festin ; à la suite de deux quasi-jumeaux ennemis, l'un noir et l'autre brun, qui convoitent la même princesse, il s'était à jamais perdu dans ce pays « où l'on cruci-fie des lions » au passé simple, ce pays qui n'exis-tait pas et qui pourtant portait le même nom vrai de Carthage, qui est dans Tite-Live. Dès lors, sa vie s'était fourvoyée dans les passés simples — je le sais, pour être lui. Maintenant, il apprenait qu'Emma mange à deux mains le fraternel poison couleur de sucre, que Pécuchet sur le tard adopte un semblant de frère pour l'aimer et le jalouser dans des semblants d'études, que le diable prend toutes les formes du frère pour amener sous son pied saint Antoine. Quand il levait la tête, quand les beaux passés simples s'effondraient dans ce que l'œil à l'instant voit, dans les feuilles qui bougent et le soleil qui réapparaît, le présent invincible était toujours là sous la forme de Rémi, le contem-porain des choses, celui qui souffrait par les choses mêmes, Rémi qui troussait les filles et qui le regar-dait en riant : et dans ce présent rieur que Roland ne savait aborder qu'avec ses poings et sa dent cassée, il se jetait, il se donnait un pugilat encore ;

cela suffisait à sa vraie vie peut-être. Après la philo, il échoua dans une fac de lettres, à Poitiers il me semble.

Rémi resta donc encore deux ans au lycée de G., débarrassé de Roland ou vaguement veuf : dans ces couloirs venteux, dans ce préau spectral où les gamins avaient poussé en l'éclair de sept ans, dans la prétentieuse allée de lampadaires des dimanches soir, il devait rencontrer à bien des pas un autre petit rouquin à costume écourté, mais qui ne cognait plus ; peut-être Achille aussi, des fois. C'est vers ces années que nous formâmes une petite bande, Bakroot et Rivat, Jean Auclair, le grand Métraux et moi-même. Nous avions en commun le goût des apparences et la honte secrète de n'apparaître que tels que nous étions, nous frimions ; les jeudis nous jetaient vers les petites frimeuses dont nous ne savions pas qu'elles étaient comme nous, chétives et affamées, mais si rieuses. Aucun d'entre nous n'eut autant de bonnes fortunes — je veux dire d'empoignes tremblantes et goulues de petites mains brutes, de douloureux désirs sans issue des heures durant soudés à un autre désir en jupe, de prétextes à des peines de cœur exquises et à des poèmes nuls griffonnés dans les études —, aucun n'eut sous les siens autant d'yeux chavirés que le petit Bakroot. Nous montions en épingle ces baga-telles, lestement ou sentimentalement selon l'hu-meur ; Rémi, lui, n'en parlait plus, son seul digne public, ou le dédicataire de ses plaisirs, étant désormais trop loin pour l'entendre ou recevoir son offrande. Certes, il avait toujours sa collection accrue de clichés; mais il en faisait l'inventaire avec mélancolie et un peu de nostalgie déjà, comme un roi impatient, qu'une conjoncture quiétiste voue à la paix, passe en revue une centième fois ses troupes auxquelles ne manque pas un bouton de guêtre, mais à quoi bon quand l'ennemi a démobilisé et embrasse ses femmes, banquette et besogne loin des clairons. Mais quand, un dimanche sur quatre, il prenait le car rouge et bleu bringuebalant qui, par des lieux de grosses pierres effondrées dans l'herbe rase, par Saint-Pardoux, Faux-la-Montagne, Gentioux, conduit son fret de paysannes et de potaches à Saint-Priest-Palus, Saint-Priest où l'autre, celui que Rémi n'appelait plus auprès de nous que « l'Idiot », serait peut-être, il jubilait comme pour un rendez-vous galant.

Sur les bancs du lycée, le petit Bakroot était brillant — son frère aussi avait été doué, il est vrai, à sa façon plus mate et comme absente. Rémi n'avait pas peur du monde, qui est une collection indéfiniment extensible de mots aux raccords imprévisibles, dans laquelle les disciplines scolaires se découpent on ne sait pourquoi un éventail plutôt qu'un autre, les petits mots poussant à ras de terre pour la botanique, le considérable éclat des mots tombés des étoiles pour l'optique, et les mots de l'optique suspendus sur ceux de la botanique pour la littérature française : ainsi Rémi jadis élisait tel jour les toupies, le lendemain les flotteurs à pêcher, et le surlendemain, s'étant avisé que flotteurs et toupies ayant la même forme peuvent n'être qu'une seule série en dépit de leurs fonctions diverses, il les réunissait. Il connaissait toutes ces règles farfelues et tyranniques qui donnent la maîtrise du présent : il pouvait aussi employer les passés simples, dans quoi le pauvre Roland s'était abîmé, mais ne leur soupçonnait pas d'autre vertu que celle d'épater un professeur puriste. Il bricolait à la perfection le latin et les mathématiques ; il savait manipuler et sournoisement faire varier les beaux leurres qui, dans une composition française, appâtent et subjuguent les profs fatigués, les pauvres crédules : il les mettait dans sa poche, eux aussi. Et puis, on le sait, il aimait les colifichets, les douloureux petits fétiches où la chose entière apparaît même en son absence ; il n'était pas Roland pour avoir l'outrecuidance de prétendre atteindre directement une essence toujours invérifiable ; il avait peur d'être mal habillé ; le shako ringard et les épaulettes écarlates le captivèrent : il prépara Saint-Cyr, et y fut admis.

Il m'écrivit de là-bas quelques lettres, ainsi qu'aux autres de la petite bande dispersée. Mais je ne le revis en grande tenue qu'une seule fois, et alors il était mort.

C'était pendant les vacances de Noël. Dans une fac des lettres où je n'avais pas rencontré Roland, j'hésitais encore entre les passés simples et le simple présent, et sûrement je préférais celui-ci quoique je sache déjà que mon trop grand appétit pour lui me vouait à l'autre, l'étique, le renfrogné, l'anorexique. Ces vacances de Noël, je les passais à

Mourioux; un de la bande me fit savoir que Rémi n'était plus; le grand Métraux vint me prendre dans sa 2 CV, pour les obsèques. Il ne savait rien du hasard quelconque qui avait rencontré et bien arrêté Rémi, et qui faisait que tous les deux, dans la 2 CV bringuebalante, roulions vers Saint-Priest-Palus.

Il avait beaucoup neigé cette année-là; il ne neigeait plus, mais de lourdes congères égalisantes, érodantes comme le temps lui-même et comme lui grisâtres, estompaient les déclivités de ce pays déclive. Quand, vers Faux-la-Montagne, nous abordâmes le plateau de rocs effondrés et de sapins démâtés sur lequel les nuages rapides toujours fomentent quelque perte, ce plateau désastreux auprès de quoi le vieux Saint-Goussaud même paraît riant, les congères s'épaissirent encore : la base des rocs s'y perdait, leur vieille colère y rendait les armes, et, maugréeuses sous la vermine des lichens, plus naufragées encore que devant, leurs quilles renversées flottaient sur cette mer sale arrêtée sous un ciel sale. Notre machine poussive bord sur bord roulait entre ces monstres déchus comme une baleinière dans Melville; et pas de feu Saint-Elme à nos mâts ni, sur la capote de la 2 CV, un dieu parsi féroce, mais traitable peut-être. Dedans, nous nous souvenions, Métraux chanta un refrain de la petite bande (il y avait un siècle), nous n'avouâmes pas ce que déjà nous devenions. Puis nous ne dîmes plus rien. Nous arrivâmes en avance à Saint-Priest-Palus.

La ferme des Bakroot, que nous nous fîmes

indiquer, était un peu à l'écart du village et quasiment dans les bois, au lieu-dit le Camp des Merles : une demeure naine de mangeurs de patates sous l'éternel colosse gris ; la neige des toits fondait, goutte à goutte ; en face, de l'autre côté de la route, un modique abri maçonné, d'un gris navrant avec des affiches conviant à des bals donnés dans des bleds aux noms impossibles, indiquait un arrêt d'autobus. Je pensai que c'était là que s'arrêtait le car rouge et bleu des dimanches, et qu'un tout jeune au menton narquois en bondissait pour aller en découdre avec sa vieille histoire, l'aînée de ses aventures ; je pensai aussi que vraisemblablement ils étaient souvent allés ensemble, à pied, au bal à Soubrebost, au Monteil-au-Vicomte, marchant côte à côte et s'éloignant le samedi après la soupe sur cette route-là, en costard les efflanquant et laide cravate, coude à coude et parfois s'effleurant mais sans se regarder, d'un pas brusque et irascible, jusqu'à l'arrière-salle de bistrot sinistrement pimpante et endimanchée, secouée comme en un rêve fiévreux par un cuivre et un accordéon, où ils apparaissaient en même temps dans la porte, même menton et teint batave, même folie flamande, même courte chevelure bâclée de brute, mais pas le même œil pour les filles ni la même main dans leurs jupes, pas la même langue, et dans la salle suante, égarée, à la fête, le petit amoroso emballait des bergères sous le regard de l'autre, pour l'autre qui faisait passionnément tapisserie jusqu'au matin ; et, revenant dans le noir au Camp des Merles, le petit avec des

130

odeurs de filles dans les doigts et le grand avec peut-être dans ses paumes la marque de ses ongles, encore au coude à coude, encore d'un pas furieux, ils s'arrêtaient soudain comme un seul homme et sans se concerter se foutaient sur la gueule, pour la seule nuit.

Sur la longue table de la cuisine fumeuse, entre le pot de café et le litre de vin, les nobles et violents liquides dont les paysans croient devoir ratifier, par la chaleur qui de la bouche passe au corps où l'âme en jouit, la candide croyance en leur vie de ceux venus saluer les morts qui n'ont plus soif, une collection de shakos était posée, couvre-chefs de uhlans ou de petits soldats d'Andersen dans d'autres débâcles d'hiver. Il n'y avait personne, un feu pétillait; nous poussâmes une autre porte sur une arrière-salle humide et glaciale, où des bougies brûlaient. C'était là qu'il était; sur deux chaises la bière ouverte l'attendait, mais il prenait son temps comme il l'avait toujours pris, inspectant ses bricoles ou circonvenant les filles, et il fallait bien que tous ces badauds le voient un peu en uniforme. Pourtant, autant qu'on en pouvait juger sur cette rigidité ultime qui est un uniforme autrement parfait, sur ce mannequin anonyme d'où avaient disparu l'âme, le port et la façon, le petit geste du bout des doigts qui ramène au poignet une manchette et les cambrures infimes qui font avantageux, j'aurais juré qu'il l'avait mal porté, son uniforme : allons, c'était bien un saute-ruisseau des Flandres encombré de l'épée hidalgo. Le gros menton au garde-à-vous avait dû être un peu bur-

lesque et méchant de se savoir tel, pétainiste, prêt
à mal tourner : il valait peut-être mieux que le
pantalon rouge fût affalé là, sur le gros couvre-
pieds paysan, et que la tunique de suie ardente,
cette ténèbre un peu luisante dans la flamme des
chandelles, n'existât plus que pour me rappeler
l'armure noire du Téméraire enfin inoffensif,
allongé dans Nancy

Y pensait-il aussi Roland, Roland à qui cet uniforme avait été particulièrement dédié, l'Idiot, que
nul n'appellerait plus ainsi, assis, spectral et le
menton mauvais, touchant opiniâtrement de la
langue sa dent, que la chose couchée là avait jadis
brisée ? Je me demandais s'ils s'étaient un jour
réconciliés, conciliés même du bout des lèvres, s'ils
s'étaient dit quelque chose hors de leur amour fou,
de leur colère tenace qui n'atteignaient pas les
mots, qu'ils ne s'étaient donc jamais dits non plus.
Roland regardait cette pâleur jadis si vive devenue
petite pâleur, il la lisait comme un livre, renfrogné
et stupéfait : aussi bien, Rémi était un livre, à présent. Autour de ce face-à-face, figurants, il y avait
quelques cyrards gauches dont la quincaillerie
incongrue tintait parfois dans l'ombre, de la
parentèle des villages, les parents eux-mêmes, le
père chauve et flamand, la mère hébétée avec de
grands yeux lavés et flamande, tous les deux douloureux, désarmés, et fiers avec ça, d'enterrer un
Saint-Cyrien. Ils étaient bien peu notables : c'était
là pourtant, dans les jambes affairées de ce couple
de paysans semblables à tant d'autres, que s'était
fomentée on ne saurait jamais comment cette riva-

lité exclusive, ce tournoi à l'antique qui avait tant haussé les deux frères au-dessus d'eux-mêmes, les avait doués pour les études, avait suscité l'amour d'un vieux prof délaissé pour l'un et pour l'autre le goût de tant de filles, et s'était fini, comme il se doit, par la mort d'un.

L'heure approchait, Rémi ne l'entendrait pas sonner, on y pensait pour lui ; on lui mit son shako, sur la calotte bleu de ciel le casoar frémissant lui fit comme une petite âme qui s'en va ; deux camarades le prirent aux aisselles et aux pieds, et le mirent bien doucement là-dedans, à gestes déférents comme on enterre en habit guerrier un comte d'Orgaz — mais mon Dieu que celui-là portait mal sa collerette. On eut du mal à caser l'épée, l'un voulait la lui mettre au côté, mais il était plus décent, murmura l'autre, de la poser en ses mains jointes : ce qu'ils firent tant bien que mal. Le menuisier de Saint-Priest accomplit les derniers termes de son contrat, le couvercle mat vint à sa place exacte, et là-dessous, comme Roland un peu penché n'y voyait plus sa chère ombre, Rémi disparut. La mère pleurait, les gourmettes des cyrards levés frémissaient ; dehors, goutte à goutte, la neige redevenait pluie.

Il n'y a pas de cimetière à Saint-Priest-Palus, c'est trop petit ; nous dûmes nous transporter à Saint-Amand-Jartoudeix, patelin jumeau dont les fermettes naufragées naviguaient aussi parmi des rocs ; sous son chapeau de neige, il y avait au milieu du cimetière une petite église écrasée comme j'imagine qu'on en voit dans le Borinage, à La

Drenthe ou Nuenen, au pays des tableaux et des tourbes. Là, sous le glas dans le vent frisquet, plusieurs attendaient : parmi eux, Jean Auclair, déjà un peu épaissi, déjà terrassé de ce qu'il faisait le maquignon comme son père, depuis deux petites années ; Rivat, le plus fidèle, le disciple, qui avait préparé Saint-Cyr lui aussi, avait échoué sans qu'il en fût surpris, et peut-être qu'il en était surpris maintenant, pour la première fois : il regardait tous ces casoars blanchoyer, ces gants de communiantes sur ces mains viriles, et en casoar et gants blancs des types qui n'étaient pas plus irrésistibles que lui-même, ni sans doute plus futés, qui portaient des lunettes et cachaient d'indigentes peines de cœur. Dans le peuple anonyme des paysannes à chapeaux noirs, à fichus, à frisettes de chef-lieu de canton, cérémonieuses, et toutes, des grand-mères qui l'avaient vu grand comme ça aux petites que naguère Rémi emballait sous un accordéon, vieillottes, comme une flamme sur cette cendre se tenait droite et agressive une très jolie fille en cheveux, aux cheveux aussi de paille gelée, à chair victorienne, une rousse de peintre ou de chanson mélo. Je la connaissais, je l'avais vue aux alentours des facs, à Clermont ; je ne lui avais jamais parlé. Nos regards s'accrochèrent, je lui fis un vague salut et je ne pus savoir si elle y répondit : entre nous passaient quatre cyrards lents avec leur charge d'homme mort. Roland qui les suivait était le plus chargé. La petite église de Borinage se referma sur nous tous, sur son latin, sur ses chaises remuées quand on se lève, qu'on se rassied, sur ses

134

déambulations bizarres, son grand froid et ses petits objets d'or, sur son Dies Irae qui est chaque jour.

Les Bakroot n'avaient pas de caveau, la tombe fraîche était creusée : ce trou et ce talus de belle terre toute neuve, parmi la vieille neige grise et les dalles aux christs rouillés, aux fleurs pourries, étaient printaniers et réconfortants. Les cantonniers avec leurs cordes firent doucement descendre dans ce labour frais l'œuvre du menuisier, avec dedans ce qu'on ne voyait pas. C'était un enterrement comme tous les autres, dans Courbet, dans Greco, à Saint-Amand-Jartoudeix : l'haleine des Saint-Cyriens leur mettait aux lèvres un autre petit plumet ; le bas des pantalons rouges était crotté ; des paysannes avaient des mouchoirs, la rousse trop droite et un peu en retrait regardait l'arbre impalpable des fumées bleues monter des toits, croître et se perdre, vers le village là-bas. Deux peupliers mêlaient leurs branches avec le vent ; un seul corbeau, d'un bout du ciel à l'autre mesurant l'étendue, passa sans un cri. Les premières pelletées tombèrent ; au bord de la fosse, Roland se baissa prestement, coléreusement, sa main lâcha quelque chose ; le grand Métraux, qui était tout à côté de lui, regardait intensément, tour à tour Roland et ce que la terre recouvrait ; on n'entendit plus le bruit clair qu'elle fait sur le bois creux, mais seulement terre sur terre. C'était fini. Nous fûmes vite dans les voitures, après les politesses de la porte ; comme nous démarrions, je vis Roland revenu là-bas seul, sur la tombe, posthume, mais tout droit et campé comme quelqu'un qui frappe : romanesquement, sottement, je pensai à un capitaine une dernière fois visible sur sa baleine blanche, qui déjà sous lui a sombré.

Au retour, parmi les baleinières renversées et les monstres morts, Métraux me dit soudain d'une voix étrange : « Te souviens-tu des images que Rémi avait déchirées dans le Kipling, il y a longtemps ? » Si je m'en souvenais !... « Roland les a jetées dans le trou, tout à l'heure. » La neige recommença à tomber avant que nous eussions quitté le plateau, avaricieusement d'abord, puis très vite à gros flocons denses : le monde disparut.

Et moi seul j'échappai, pour venir te le dire.

Vie du père Foucault

C'était au début de l'été, dans les premières années soixante-dix, à Clermont-Ferrand. Mon bref séjour dans le monde du théâtre s'achevait ; la troupe s'était dispersée, les uns ayant passé ailleurs des engagements, les autres, comme moi, attendant d'on ne sait quelle saute de vent un bond de plain-pied dans leur destin. Marianne et moi étions demeurés seuls dans la grande maison que nous appelions « la Villa » et que naguère nous occupions tous, sur la colline, au bout du long jardin ; les cerises étaient passées ; l'ombre chaude et bronzée du grand cerisier baignait les fenêtres mansardées du premier, où nous vivions ; dans cette ombre ardente, je déshabillais longuement Marianne, la détaillais dans la fournaise, la jetais sur le plancher blond que cuisait la torpeur des jours ; au cœur de ces reflets conjugués, les passages trop roses de ses cuisses prenaient les teintes d'un de ces Renoir où, violemment exhibé dans l'éclat d'un soleil mais pris encore dans un demi-jour de meule, le modelé mauve des chairs surgit plus nu de s'ombrer d'or, de blé pourpre; la véhémence de mes mains, l'exultation de ses bonds et l'excès de sa bouche, faisaient infiniment frémir cette chair et ces nuances, l'une et les autres lourdes : les cris de Marianne aux jupes soulevées, la sueur et la pénombre riche, sont ce que je conserve de cet été-là, avant l'événement que je vais raconter.

Marianne avait accepté je ne sais plus quel travail temporaire sous-payé, pour la durée de l'été; aussi avions-nous quelque argent. Las peut-être de nos sueurs échangées, un soir nous sortîmes; peut-être Marianne se souvient-elle de cette fin d'après-midi et des menues formes qu'y prit le temps, de mon visage changeant, d'ombre et de lumière successives, en franchissant le couvert des tilleuls de la grand-place, d'un mot que j'ai dit, de mon coup d'œil vers la haute présence du puy de Dôme, qui devient violette avec le crépuscule; j'ai oublié tout cela; mais je me souviens, et elle s'en souvient aussi assurément, que je tenais à la main un livre acheté le jour même, le *Gilles de Rais* d'un grand auteur, et elle se souvient de sa couverture d'un rouge profond, à l'éclat amorti, comme un livre d'étrennes. Nous dînâmes dans un restaurant de la rue des Minimes, qui se peuple le soir de présences fardées, de regards ombreux coulant de l'ombre des porches, de talons durs et sonores. Je bus beaucoup; j'achevais l'opération à l'aide de nombreux verres de verveine du Velay, liqueur de moines qui est verte comme une fontaine de Chassériau, et d'effet sournois, enfiévré, poisseux. Je

138

sortis ivre dans la nuit ; Marianne était inquiète, l'œil indifférent des prostituées nous poursuivit jusqu'au bout de la rue noire ; la lumière des avenues centrales m'exaspéra. Nous marchâmes de bar en bar, mon courroux grandissant avec l'empêchement de mon verbe, de plus en plus poisseux, noyé d'ombres, sonore ; Je me vouais aux gémonies : ma langue ne pouvait plus même maîtriser les mots, comment pourrais-je jamais les écrire ? Allons, plutôt l'abêtissement simple, gin-fizz et bière, et la reprise des « chemins d'ici, chargé de mon vice » : s'il fallait mourir sans en avoir écrit, que ce fût dans la plus stupide exubérance, la caricature des niaises fonctions vitales, l'ivresse. Consternée, Marianne m'écoutait, son immense regard étreignant ma bouche.

À La Lune, les néons d'un rose de lingerie qui découpaient sur les visages des aplats brusques de masque mortuaire, les chaises ignobles et les cendriers débordants mirent un comble à ma fureur ; je fuyais ; j'étais, mouvante, cette chaise de formica et, vivant, ce cadavre, quand je poussai la porte de la Brasserie de Strasbourg ; je tenais toujours le *Gilles de Rais*. Dans le bar, passant avec des mines de jongleur d'une table où s'esclaffaient des coiffeuses à une autre, où des grisettes prenaient des poses d'ottomanes, un matamore était en scène ; l'homme était jeune, bien bâti, portant au bout d'un complet-veston un regard avantageux de trousseur de soubrettes ; sa fatuité était inoffensive. Ses saillies laborieuses de don Juan avili, la bonne grâce de son public femelle dont les fards et les gloussements immodérés m'enflammaient autant qu'ils m'irritaient, sa parole ostentatoirement finaude et trop peu déguisée sous une lourde rouerie pour qu'on n'en pût démasquer l'accablante nudité, tout cela infléchit le cours de mon emportement. Je souris ; ma rage exulta d'enfin se détourner de moi-même et d'aller, moins violente et comme apitoyée, se ficher en une autre cible : je pris la parole.

J'étais assis au fond de la salle, dans une demi-pénombre ; le bellâtre se produisait près du bar, en pleine lumière ; l'un et l'autre nous parlions, l'un après l'autre, à voix très haute et théâtrale, dans une complicité haineuse. Les dents serrées et feignant de ne pas m'entendre, il poursuivait bravement son numéro ; mais il le poursuivait sans filet et ne parlait plus que pour offrir la gorge à ma censure : pas une de ses fautes de langue en effet qu'exclamativement je ne corrigeasse, avec des rengorgements de pion ; pas une de ses phrases inachevées qui ne fût par moi bouclée dans un sens lourdement cynique ; pas un de ses sous-entendus dont je ne fisse entendre les tenants — son appétit pour la chair grasse des coiffeuses — et les aboutissants — la possession souhaitée de cette chair. J'étais ivre sans doute, et ma parole avait pris le tour approprié, pâteusement intempestif et qui se croit souverain ; cependant je frappais juste ; je savais d'autant mieux comment meurtrir le parleur et son désir, que ses sommaires appétits étaient miens aussi, et mien cet abus du langage détourné de lui-même et captivé par la chair comme par le soleil le tropisme des fleurs, abus qui est peut-être son usage même. L'homme n'est pas si varié. Comme moi, celui-ci eût voulu plaire par la grâce des mots et, inspiré par le rouge d'une bouche et le blanc d'une épaule qu'exaltaient les néons, écrivait une maladroite lettre d'amour, troussait le madrigal dont on émeut l'indifférente ; et il l'émouvait sans doute, ou allait l'émouvoir, si je n'avais troublé cette innocente fête, n'étais incongrûment entré en scène avec ma pointilleuse ivresse et mon livre chic, et n'avais donné une réplique pleine de ressentiment, de présomption, de fureur despote ; il avait trouvé en moi celui qui défait toute parole en feignant de la surplomber, qui réfute l'œuvre en portant captieusement sa bouche et son esprit au-dessus de la bouche et de l'esprit qui peinent à l'œuvre : je veux dire le lecteur difficile.

Et, comme il arrive, c'était à ce lecteur-ci qu'il se donnait désormais, en pure perte ; pour cette ombre haïssable, il lâchait ses jolies proies ; il était comme un roi de tragédie antique qui, par une erreur de livret, eût entendu le coryphée conter sur quelles cendres odieuses, sur quel trône d'argile était bâtie sa royauté précaire — et ses sujettes entendaient aussi l'inopportune voix off. Les filles, certes, qui me jetaient des regards courroucés et méprisants, semblaient toujours ses complices : mais elles n'étaient plus sa cour, il avait déchu, il fallait qu'elles le défendissent, le charme sulta- nesque était rompu. Je ne saurais qu'après l'ivresse que les dieux ne m'avaient point donné un aussi prestigieux rôle : un coryphée qui entre en scène et prend à partie le roi, désigne la fragilité de la couronne pour mieux l'asseoir sur sa propre tête et feint l'omniscience pour usurper la place de l'usurpateur, celui-là cesse d'être un coryphée pour devenir un rival, et de la plus commune espèce. Mais l'ivresse me donnait beau rôle ; je nageais dans un bonheur acide.

Ce bonheur dura peu ; je continuai à boire et ce qui me restait d'esprit devait à peine suffire à planter quelques banderilles. D'ailleurs, l'homme disparut dans la lourde nuit d'été : je ne le vis pas sortir, mais seulement la bouffée de noir dense dans la porte battante. Je demeurai stupide ; les filles bientôt se jetèrent à leur tour dans la nuit. L'une d'elles, à longs cheveux d'un beau brun et parures de strass, avait à la bouche un reste d'enfance sous l'épaisse vulgarité du fard ; elle revint sur ses pas pour reprendre un sac ou un gant oublié : ses gestes brusques disaient sa basse extrace, et son assurance tapageuse ses efforts et son échec à en sortir ; elle avait pu être élevée entre un puits et des noisetiers, comme on en voit aux Cards, et quelqu'un de la campagne, en cet instant, pensait à elle ; elle évita mon regard. Elle n'était point si méprisable sans doute : cette chair avait des souvenirs, elle pleurerait des morts, verrait battus en brèche ses désirs ; elle ne m'appartiendrait jamais. Mon ivresse se bonifia, je m'abîmai avec délice dans la complaisance.

Eux sortis, sans doute restâmes-nous longtemps encore dans cette brasserie, Marianne lasse à mourir et moi sentimental. Mon ébriété de tout à l'heure n'était plus que pesante cuite, de celles qui aplanissent toute caractéristique individuelle au profit d'une métaphysique sombre commune à tous les hommes, et que j'avais vue transformer en maugréeuses toupies les ouvriers agricoles, à Mourioux, le dimanche soir. J'avais oublié l'incident; ou plutôt je n'en conservais, tendue au fond de mon hébétude, qu'une toile de remords et d'infamie, décor d'ergastule ou Gueule d'Enfer en carton-pâte sur le carton peint de la nuit. Marianne avait le défaut de m'écouter trop; et sans doute pour elle, témoin et juge qui d'avance m'acquittait, m'empêtrai-je dans une palinodie compliquée, indulgente et matoise, en protestant de mon innocence; je voulais qu'elle me la confirmât : je n'avais pas assailli cet homme; n'avais-je pas, de lui comme de moi-même, infiniment pitié? Cette seule pitié n'avait-elle pas inspiré mes fielleuses reparties? N'étions-nous pas au même titre de malheureux usagers des mots, par nous trop peu savamment maniés pour qu'ils devinssent à notre usage l'arme souveraine qui toujours atteint son but, pour lui la débâcle d'une chair et pour moi le bouclage d'un livre? Lui échappait la chair blanche, les feuillets toujours blancs de mon livre hélas inabordable ne m'échappaient pas moins; ni lui ni moi ne couvririons l'une et les autres de nuit, jouissance rauque ou mots écrits : nous ne connaissions pas les mots de passe.

La mémoire ne peut fidèlement restituer les épais caprices de l'ivresse, et se lasse à s'y efforcer.

J'abrège. Je ne sais quelle saute d'humeur me fit chercher querelle au barman qui me chassa, avec rudesse mais sans colère. Nous marchâmes, peut-être vers un autre bar ; j'étais en sueur, inapaisé sous le ciel de poix. À quelque cent mètres de là, l'homme m'attendait. Sans acrimonie apparente, le visage de marbre, il m'enjoignit d'une voix sourde de « m'expliquer » ; j'en étais bien d'accord ; je lui désignai narquoisement le plus proche café, où nous parlerions plus à l'aise : le Commandeur voulait-il boire un verre à mes frais ? Un poing de pierre m'atteignit au visage. Je ne fis pas un geste ; au reste, l'alcool me rendait insensible. Mais je parlai : je ne sais quels mots il entendit, que coup sur coup il m'enfonçait dans la bouche ; ses poings m'étaient un baume, mes mots et mon rire, croyais-je, lui étaient un gril ; j'exultais : l'esclave s'avouait, donnait une représentation muette de l'impuissance de son verbe ; pour m'asservir, il devait faire entrer en scène l'opacité du corps ; il avouait sa sujétion comme un jacques assomme son roi. Je tombai à terre ; le sang gicla à travers les mots ; il frappa du pied mon visage tordu de douleur et de rire, à coups redoublés : je suppose qu'il m'aurait tué, et que je voulais qu'il me tue pour consacrer notre commune victoire, notre commune défaite. Avant de m'évanouir, je vis le visage atterré, le visage de douleur de Marianne, tassée contre le mur dans sa petite robe de toile mauve que j'aimais tant : je n'étais pas davantage un roi que mon agresseur n'était un porc, nous pâtissions de conserve sous un regard de souffrance ; nous avions peur.

Il ne me tua pas. Mais il frappait toujours du talon mon visage insensible et enfin muet, quand passa une ronde de police providentielle (mon corps a toujours eu de la chance, et ma survie, si ma vie est aussi malchanceuse que ce que j'en écris). Je revins à moi sur la terrasse, déserte à cette heure et livide, du bar proche ; j'étreignais Marianne ; la lumière plongeante noyait d'ombre le visage des agents, sous la visière aiguë des képis ; les gourmettes et les galons scintillaient, les faces d'ombre m'offraient des traits indéchiffrables. Un barman, diablotin noir et blanc, me faisait boire du cognac ; un peu de mon sang tachait sa serviette ; les réverbères de la place tendaient vers les étoiles de hautes brassées de feuilles de tilleul, dorées et vertes comme l'herbe et le pain, d'une grande douceur. J'étais en paix, je ne comprenais rien et m'en souciais peu, j'aspirais au sommeil ; je jouissais de l'usufruit de ma mort. On m'offrit de porter plainte ; je déclinai sans aigreur : je n'étais pas gravement touché sans doute, l'engourdissement de mon visage ajouté à l'ivresse me faisait un masque d'extase ; au reste, j'alléguai que je connaissais l'homme, qu'il était en quelque façon mon ami. Les gendarmes n'insistèrent pas. Un taxi nous emporta vers la Villa.

M'éveillant, je vis Marianne penchée sur moi ; elle pleurait ; elle avait l'air, incrédule et horrifié au-delà de ce qui s'exprime, d'un supplicié regardant son propre corps roué, après le passage de la massue. Le jour me fut odieux, j'avais épouvanta-blement mal à la tête. Un éclair de terreur me glaça : qui avais-je tué ? Pétrifié, je demeurais immobile, Marianne berçant sa douleur au-dessus de moi. Je me souvins enfin du pugilat de la veille ; soulagé, je bougeai, me levai en chancelant, attei-gnis un miroir. Un caprice impur m'y regardait, une demi-face de crétin : le côté gauche du visage était une outre, pansue et violâtre, où courait abjectement la fente distendue, purulente, de la paupière. La joue et l'œil droits étaient intacts, comme si tout le mal — « mes péchés » — avait afflué du côté sinistre avec une volonté délirante d'incarner l'aveu, dans un bouffissement de diable à un linteau roman. Et romane aussi était cette pieuse blessure, manichéenne, grossièrement sym-bolique, d'une risible logique : j'avais volé à un homme ses paroles, les lui avais renvoyées dénatu-rées ; il avait en retour dénaturé mon corps, et nous étions quittes. Mon visage en portait la quit-tance.

Je me jetais sur mon lit, demandant pardon à Marianne, caressant avec des tremblements ce cher visage que nos deux souffrances me rendaient plus cher. J'avais vomi sur l'oreiller où je me recouchai ; qu'importait : elle me parlait comme à un enfant, me donnait une paix qui n'est pas de cette terre (comment ferais-je comprendre que ses gestes étaient maladroits tant ils étaient tendres ?) ; tout, dans sa bouche et ses mains, devenait roses, comme il arrive aux pietà italiennes et aux mar-lous de Jean Genet. Je fus hospitalisé dans l'après-midi ; j'avais l'orbite et le malaire fracturés. L'œil, miraculeusement intact, pouvait être sauvé.

Il me manquait quelque chose. Petit Poucet imbu et lettré, j'avais en chemin semé le *Gilles de Rais*.

Une hébétude bienheureuse recouvrit les premiers jours d'hôpital. Dans le demi-coma, mon enivrement semblait ne point devoir finir ; je vivais la plus longue des gueules de bois, et il convenait qu'il en fût ainsi. On m'opéra ; sans doute avais-je été trop peu anesthésié, car j'eus conscience du jeu des trépans sur l'os de ma joue ; mais cela sans douleur, comme au cœur d'un léger rêve où j'eusse assisté à ma propre autopsie, bénigne et réversible, pour mon édification ; on m'ouvrait comme un livre et comme tel je me lisais, à haute et confuse voix, pour le plus grand plaisir des carabins dont j'entendais les rires. J'étais dans le Bardo, sous la dent et la griffe des déesses brouteuses de crânes ; et, comme au « fils noble » du Bardo, des voix bienveillantes me chuchotaient que tout cela était illusion, qu'audehors l'impalpable été avait plus de consistance que mon corps, mon corps que seuls rendaient moins illusoire l'ivresse, le multiple corps des livres, la chair eucharistique de Marianne.

On me mit dans une salle commune, ouverte sur une cour intérieure où fleurissaient des tilleuls encore, comme sur la place où j'avais été rossé ; le jour d'or s'y décuplait dans un filtre d'or. Ces arbres savoureux sont aimés des abeilles ; et leur puissant murmure qui s'amplifiait dans le soir semblait la voix même de l'arbre, son aura de massive gloire : ainsi devaient vrombir les anges devant Ézéchiel prosterné. La morgue ouvrait aussi sur cette cour : parfois sous un drap une forme couchée passait, dont les brancardiers plaisantaient par la fenêtre ouverte avec les malades ; je n'étais pas sous ce drap, mes yeux voyaient l'été, j'avais loisir de parler des morts. Je conserve de ces jours un souvenir d'enchantement profond. Je lisais le *Gilles de Rais*, dont Marianne avait retrouvé la trace — le même barman qui m'avait mis à la porte l'avait aimablement conservé à mon intention. Je pensais à l'été vendéen qui calcinait à cette heure les ruines de Tiffauges, aux hautes herbes pareilles à celles qu'avait foulées l'Ogre, jadis, aux rivières d'argent bordées d'arbres tendres sous lesquels il avait pleuré, de repentir et d'horreur. Rien, pour lire cette histoire, ne me convenait mieux que la proximité des chairs souffrantes dans les draps pâles, sous le rire vainqueur de juillet : la bêtise conquérante des infirmières me faisait absoudre Gilles ; la patience angélique de certains moribonds me le faisait maudire. En Marianne penchée vers moi pleuraient tous les enfants égorgés, et les enfants survivants jubilaient dans son rire ; en moi des ogres vagues, velléitaires, expiaient d'insuffisants festins.

Marianne venait chaque après-midi. Elle tournait le dos à la salle et s'asseyait tout près de mon lit, de sorte que sous sa jupe légère ma main la pût longuement émouvoir, à l'insu du voisinage, et que mon regard tînt ses jambes ouvertes et ses cils baissés : à peu de chose près, c'était ma lecture qui se poursuivait dans ce plaisir différé. Tout n'était pas que fièvre pourtant ; nous parlions gaiement aussi et devions faire figure d'insouciants tourtereaux, dont les ébats distrayaient ou agaçaient mes compagnons de hasard, tous d'un plus grand âge. Un jour, l'un d'eux s'étant approché de mon lit dit à Marianne quelques mots que nous ne comprîmes pas, d'une voix gauche et précipitée d'homme timide, qu'une affection de la gorge assourdissait encore ; il répéta, encouragé par la bienveillance de Marianne. Nous entendîmes enfin : il avait besoin d'entrer en contact avec son patron ; il ne savait user du téléphone : Marianne voulait-elle l'y aider, et prendre elle-même la communication ?

Je les regardai s'éloigner, la jeune babilleuse emportant sous son aile le vieux transi. Celui-ci m'avait attiré dès le premier jour, sans que j'osasse lui adresser la parole : sa douce taciturnité m'intimidait. Aussi bien, il était le seul que son désir de n'être pas remarqué rendît remarquable. Il ne participait pas aux vagues conversations de la chambrée ; interrogé en personne cependant, il répondait bien volontiers, avec un empressement et un laconisme égaux, qui désarmaient. Il ne riait guère des plaisanteries ; il ne les dédaignait pas non plus : simplement il s'en tenait à l'écart, sans affectation, comme s'il n'y allait pas de sa volonté et que quelque chose d'inconnu, de plus fort ou plus ancien que lui, l'écartait du commun.

Quittant mon livre, c'était à lui qu'allait mon regard ; à lui encore quand il arrivait que j'eusse suivi des yeux la silhouette, tapageuse et désirable, d'une infirmière. Il occupait le lit proche de la fenêtre ; captivé par le jour ou par les souvenirs qui pour lui seul se mouvaient dans le jour, il restait assis des heures entières face à la lumière. Pour lui peut-être vrombissaient les anges, et il tendait l'oreille à leur musique ; mais sa bouche n'en commentait pas les paroles d'or et de miel, sa main n'en transcrivait nul verbe d'éblouissante nuit. Les tilleuls traçaient des ombres cursives, frémissantes, sur sa tête chauve et toujours étonnée ; il contemplait ses mains épaisses, le ciel, ses mains encore, la nuit enfin ; il se couchait abasourdi. L'homme assis de Van Gogh n'est pas plus massivement endolori ; mais il est plus complaisant, pathétique, assurément moins discret.

(Van Gogh ? Certains lettrés de Rembrandt, pareillement enfenestrés, rivés à leur siège d'ombre mais la face baignée des larmes du jour, et mêmement stupéfaits de leur propre impouvoir, lui ressemblent davantage ; mais ce sont des lettrés ; le vieux, autant qu'on en pût juger sur son pantalon de velours et sa veste de droguet, la pesanteur de ses mimiques aussi, était du petit peuple.)

Il s'appelait Foucault, et les infirmières, avec l'indiscrète familiarité, condescendante et — qui sait ? — charitable, qu'elles mettent à leur commerce, l'appelaient « le père Foucault ». Affublé de ce nom de philosophe en vogue et de missionnaire illustre, « père » lui aussi, le vieil homme n'en paraissait que plus obscur, et prêtait à sourire. Je n'ai jamais connu son prénom. De ces mêmes infirmières (j'étais dans leurs bontés ; elles me par-

150

laient sans défiance : c'est que j'usais sans doute du même bavardage chatoyant, aguicheur et vide, que les puissants qu'elles servent sans vergogne ; elles ne soupçonnaient pas que ce parler se peut mettre au service du refus de ce qu'elles idolâtrent, de la coupable absence, de la disparition dans une incurie rageuse ; d'ailleurs, je n'avais pas à être si duplice ; moi aussi, peut-être, je les aimais bien : leur chair et leurs fragilités me plaisaient, si leur conformisme acerbe m'exaspérait ; et elles eussent été bonnes filles, hors de cette position d'argousins qui les courbait d'autant plus, serviles, vers les doctes en blouses blanches, qu'elles étaient vipérines, protectrices et railleuses envers les plus humbles des malades), de ces filles donc, j'appris que le père Foucault avait un cancer à la gorge. Le mal n'était point encore fatal ; mais inexplicablement, le malade refusait qu'on le conduisît à Villejuif, où on l'eût pu sauver : s'obstinant à demeurer dans cet hôpital de province, où l'appareillage technique était insuffisant, il signait son arrêt de mort. En dépit de toute admonestation, il entendait demeurer là, assis, tournant le dos à sa mort qui s'amassait dans les coins d'ombre, face aux grands arbres clairs.

Ce refus avait de quoi intriguer ; il fallait que la résistance du vieillard fût forte d'une bien grande volonté, et de bien puissants motifs : on ne dérobe pas sans opiniâtreté son corps aux impératifs médicaux, dont les pressions sont multiples et insidieuses, assurées de vaincre. Mais je pensais à des raisons banales, volonté de ne pas s'éloigner des siens ou enracinement, obtus et sentimental, de paysan, qui sont monnaie courante dans les hôpitaux. Il sembla bientôt pourtant qu'il y avait autre chose ; Marianne, à la faveur de cette conversation téléphonique, bientôt suivie de plusieurs autres où de la même façon elle servit de truchement au père Foucault, avait glané de petites choses : l'homme n'avait pas apparemment de fortes attaches familiales, quoique son patron, un jeune minotier de la campagne voisine, parût l'aimer beaucoup ; celui-ci semblait anxieux surtout de rassurer le vieillard sur un point en apparence insignifiant : « il avait bien rempli les papiers », et insistait, s'il fallait compléter d'autres formulaires, pour qu'on le lui fît savoir, en sorte qu'il pût en temps utile venir à Clermont. Puis, le service rendu ayant établi entre nous un début de familiarité (mais de sa part aussi hésitante et parcimonieuse qu'empressée, de la mienne, intimidée), j'appris de la bouche même du vieux que s'il avait pris femme du temps où on l'appelait encore sans doute « le petit Foucault », il en avait très jeune été veuf, et n'avait pas d'enfant. Il n'avait pas davantage d'attaches avec un terroir imaginaire : né en Lorraine, puis garçon meunier quelque part dans le Midi, il avait fini par échouer là, à la faveur peut-être d'une de ces bougeottes où des ouï-dire prometteurs et invérifiables jettent le menu peuple, d'un cousinage entre patrons, d'un hasard domestique.

Pourquoi dès lors, si le dépaysement lui était indifférent, refusait-il qu'on le soignât dans les règles ? Il restait à sa place, petite silhouette en retrait comme anticipant sur sa disparition, et qui eût été dérisoire si ne l'avaient accrue son agaçant secret, la noble absurdité de sa résolution, la fatalité de l'échéance — c'était l'étrange ouverture de sa mort, peuplée ou non d'anges, qu'il contemplait, et les objets de son regard étonné en étaient comme frappés d'étonnement : la cour profuse avec ses vibrants tilleuls, où s'ouvrait la morgue aux émails nets comme un lavabo incongru dans une salle d'apparat, en devenait un paysage exemplaire dans lequel à mon tour je m'abîmais. Il n'était pas jusqu'à ma lecture qui ne se peuplât de pères Foucault, chapeaux bas et regards insondables, haillons de peu de poids rejetés sur le bord d'un chemin creux par le « gare, manant ! » d'un cavalier plein de morgue et de tristesse, au galop vers Tiffauges, un enfant terrifié en travers de sa selle ; et parmi ceux-là l'un d'eux, en apparence le plus résigné, restait au milieu du chemin, son chapeau dans ses mains humbles, regardait le cavalier fondant sur lui, jurant, et se couchait à jamais dans les herbes, un fer à cheval saignant à la tempe. Il était de même en travers du chemin des docteurs, et envers eux non moins déférent que ne l'avaient été ses ancêtres au passage du ténébreux éventreur vendéen ; à ces autres vivisecteurs, mais eux sans plaisir ni remords, bûcher probable ni espoir de rachat, il opposait son humble et souriante protestation ; modestement mais intraitablement, il dédaignait qu'on le conduisît là où « son bien » exigeait qu'il allât : ce « bien », il était lui-même trop infime pour en avoir la clef que d'autres possédaient, et dont ils lui démontraient que l'usage avait toutes les apparences d'un devoir ; il n'en démordait pas pourtant, se dérobait à ce devoir, s'abandonnait corps et biens à ce péché capital, mépris du corps et de ses biens, qui est pire qu'hérésie au regard du dogme médical. Il voulait n'avoir de comptes à rendre qu'à la mort, et repoussait doucement les avances de son clergé.

Aussi les clercs le tracassaient-ils journellement. Un matin je fus arraché à ma lecture par l'entrée, théâtrale comme celle de capitaines d'une ronde de nuit avec tous leurs troupiers, d'une délégation plus importante que de coutume, qui se rendit tout droit au lit du père Foucault : un médecin à profil aigu, magistral et digne comme un grand inquisiteur, un autre plus jeune et athlétique mais mou sous sa barbiche, une poignée d'internes, une nuée pépiante d'infirmières ; on envoyait le ban et l'arrière-ban pour convertir le vieux relaps ; on passait à la question extraordinaire. Le père Foucault était assis à sa place favorite ; il s'était levé, on l'avait fait rasseoir ; et le soleil, qui laissait dans la pénombre les têtes bavardes des médecins restés debout, inondait son crâne dur et sa bouche close, obstinément : on eût dit que les docteurs de la *Leçon d'anatomie* avaient changé de toile, s'étaient massés dans l'ombre derrière l'*Alchimiste* à sa fenêtre, et emplissaient l'espace habituel de son recueillement de leurs puissantes présences empesées de blanc, du brouhaha de leur savoir ; lui, intimidé de ce peu habituel intérêt qu'on lui portait et honteux de n'y point pouvoir répondre,

154

n'osait trop les regarder et, à brefs coups d'œil inquiets, prenait comme conseil encore des tilleuls, de l'ombre chaude, de la petite porte fraîche, dont la présence si familière le rassérénait. Ainsi peut-être saint Antoine regardait-il son crucifix et la cruche de sa cabane ; car sans doute ils étaient bien près de l'émouvoir, sinon de le convaincre, ces tentateurs qui lui parlaient d'hôpitaux parisiens splendides comme des palais, de guérison, des êtres raisonnables et de ceux qui, par pure ignorance, ne le sont pas ; d'ailleurs, le médecin-chef était sincère, il avait bon cœur sous sa suffisance professionnelle et son masque de condottiere, le vieil entêté lui était sympathique. Plus qu'aux arguments de raison, j'aimerais croire que c'est à cette sympathie que le Père Foucault se sentit un devoir de répondre, car il répondit ; et, pour courte qu'elle fût, sa réponse fut plus éclairante et définitive qu'un long discours ; il leva les yeux sur son tourmenteur, sembla osciller sous le poids de son étonnement toujours recommencé et augmenté du faix de ce qu'il allait dire, et, avec le même mouvement de toutes les épaules qu'il avait peut-être pour se décharger d'un sac de farine, il dit d'un ton navré mais d'une voix si étrangement claire que toute la salle l'entendit : « Je suis illettré. »

Je me laissai aller sur mon oreiller ; une joie et une peine capiteuses me transportèrent ; un sentiment infiniment fraternel m'envahit : dans cet univers de savants et de discoureurs, quelqu'un, comme moi peut-être, pensait quant à lui ne rien savoir, et voulait en mourir. La salle d'hôpital résonna de chants grégoriens.

Les docteurs se débandèrent comme un vol de moineaux entrés par erreur ou bêtise sous les voûtes, et qu'eût dispersés la monodie ; petit chantre du bas-côté, je n'osais lever les yeux sur le maître de chapelle inflexible, méconnaissant et méconnu, dont l'ignorance des neumes faisait le chant plus pur. Les tilleuls bourdonnaient ; à l'ombre de leurs colonnes étoffées, entre deux brancardiers hilares, un macchabée sous son dais roulait vers le maître-autel de la morgue.

Le père Foucault n'irait pas à Paris. Cette ville de province déjà, et son village même sans doute, lui paraissaient peuplés d'érudits, fins connaisseurs de l'âme humaine et usagers de sa monnaie courante, qui s'écrit ; instituteurs, démarcheurs de commerce, médecins, paysans même, tous savaient, signaient et décidaient, à des degrés de forfanterie divers ; et il ne doutait pas de ce savoir, que les autres possédaient de si flagrante façon. Qui sait : ils connaissent peut-être la date de leur mort, ceux qui savent écrire le mot « mort » ? Lui seul n'y entendait rien, ne décidait guère ; il ne s'accommodait pas de cette incompétence vaguement monstrueuse, et non sans raison peut-être : la vie et ses glossateurs autorisés lui avaient assurément fait bien voir qu'être illettré, aujourd'hui, c'est en quelque façon une monstruosité, dont monstrueux est l'aveu. Que serait-ce à Paris, où il lui faudrait chaque jour réitérer cet aveu, sans à ses côtés un jeune patron complaisant pour remplir les fameux, les redoutables « papiers » ? Quelles nouvelles hontes lui faudrait-il boire, ignare sans un pareil, et vieux, et malade, dans cette ville où les murs mêmes étaient lettrés, historiques les ponts et incompréhensibles l'achalandage et l'enseigne des boutiques, cette capitale où les hôpitaux étaient des parlements, les médecins de plus savants aux yeux des savants d'ici, la moindre infirmière Marie Curie ? Que serait-il entre leurs mains, lui qui ne savait pas lire le journal ?

Il resterait ici, et en mourrait ; là-bas, peut-être l'eût-on guéri, mais au prix de sa honte ; surtout, il n'eût pas expié, magistralement payé de sa mort le crime de ne pas savoir. Cette vision des choses n'était pas si naïve ; elle m'éclairait. Moi aussi, j'avais hypostasié le savoir et la lettre en catégories mythologiques, dont j'étais exclu : j'étais l'analphabète esseulé au pied d'un Olympe où tous les autres, Grands Auteurs et Lecteurs difficiles, lisaient et forgeaient en se jouant d'inégalables pages ; et la langue divine était interdite à mon sabir.

On me disait aussi qu'à Paris m'attendait peut-être une manière de guérison ; mais je savais, hélas, que si j'y allais proposer mes immodestes et parcimonieux écrits, on en démasquerait aussitôt l'esbroufe, on verrait bien que j'étais, en quelque façon, « illettré » ; les éditeurs me seraient ce qu'auraient été au père Foucault les implacables dactylos lui désignant d'un doigt de marbre les blancs vertigineux d'un formulaire : gardiens des portes, Anubis omniscients aux dents longues, édi-

teurs et dactylos nous eussent l'un et l'autre déshonorés avant de nous dévorer. Sous l'imparfait
trompe-l'œil de la lettre, on eût deviné que j'étais
pétri d'inconnaissance, de chaos, d'analphabé-
tisme profond, iceberg de suie dont la partie émer-
gée n'était que miroir aux alouettes; et on eût
fustigé le charlatan. Pour que je me jugeasse digne
d'affronter Anubis, il eût fallu que la partie invisible fût, elle aussi, polie de mots, parfaitement
gelée comme l'inaltérable diamant d'un diction-
naire. Mais j'étais vivant; et puisque ma vie n'était
pas un verbier, puisque toujours m'échappait la
lettre dont j'eusse voulu des pieds à la tête être
constitué, je mentais donc en me voulant écrivain;
et je châtiais mon imposture, pulvérisais mon peu
de mots dans l'incohérence de l'ivresse, aspirais au
mutisme ou à la folie, et singeant « l'affreux rire de
l'idiot », me livrais, mensonge encore, aux mille
simulacres du trépas.

Le père Foucault était plus écrivain que moi : à
l'absence de la lettre, il préférait la mort.

Moi, je n'écrivais guère; je n'osais davantage
mourir; je vivais dans la lettre imparfaite, la perfection de la mort me terrifiait. Comme le père
Foucault pourtant, je savais ne rien posséder;
mais, comme mon agresseur, j'eusse voulu plaire,
gloutonnement vivre avec ce rien, pourvu que j'en
dérobasse le vide derrière un nuage de mots. Ma
place était bien aux côtés du matamore, dont je
m'étais si justement avoué le rival et qui, me ros-
sant, avait consacré notre parité.

Je quittai l'hôpital peu après. Je ne sais si nous

nous sommes dit au revoir ; nous fuyions l'un et l'autre : il avait honte de son aveu public, lui qui n'aurait pourtant pas eu beaucoup à attendre pour que le cancer lui brisât, avec les cordes vocales, tout aveu dans la gorge ; j'avais honte de ne rien avouer, par la publication, la mort ou la résignation au silence. Puis, ce dernier jour, mon visage était encore déformé par la blessure, je craignis d'être défiguré ; je rudoyai Marianne qui tâchait tendrement de me rassurer ; j'emportai, avec un vague courroux, le *Gilles de Rais*, la vision des grands arbres encore, et le silence du père Foucault.

Le mal aura fait son œuvre ; il sera devenu muet à l'automne, devant les tilleuls roux : dans ces cuivres que le soir ternit, et toute parole soustraite par la mort en marche, il aura plus que jamais été fidèle aux vieilles épaves lettrées de Rembrandt ; nul dérisoire écrit, nulle pauvre demande griffonnée sur un papier n'aura corrompu sa parfaite contemplation. Sa stupéfaction n'aura pas décru. Il sera mort aux premières neiges ; son dernier regard l'aura recommandé aux grands anges tout blancs dans la cour ; on aura ramené le drap sur sa figure, aussi étonnée du peu de la mort qu'elle avait pu l'être du peu de la vie ; cette bouche sera close à jamais, qui s'était bien peu ouverte ; et à jamais immobile, intacte d'œuvre, refermée sur le rien de la lente métamorphose où elle a aujourd'hui disparu, cette main qui jamais ne traça une lettre.

Vie de Georges Bandy

à Louis-René des Forêts

À l'automne de 1972, Marianne m'abandonna. Elle répétait au théâtre de Bourges un médiocre *Othello*; j'étais depuis plusieurs mois chez ma mère, aspirant sottement à la grâce de l'Écrit et ne la recevant pas : grabataire ou de drogues diverses m'exaltant mais toujours distrait au monde, indolent, furieux, et une hébétude forcenée me rivant satisfait à la page infertile sans qu'il me fût besoin d'écrire un seul mot. Comment écrire du reste, quand je ne savais plus lire : au pire de misérables traductions de science-fiction, au mieux les textes benoîtement tapageurs des Américains de 1960 et ceux, pesamment avant-gardistes, des Français de 1970, étaient mon seul aliment; mais si bas que ces lectures déchussent, elles m'étaient encore des modèles trop forts que j'étais incapable d'imiter. Je m'invétérais dans l'échec, l'inertie fascinée; dans l'imposture aussi : mes lettres à Marianne, quotidiennes, mentaient effrontément; je faisais état de pages éclatantes miraculeusement venues, j'étais l'Opéra Fabuleux et chaque nuit m'était pascalienne, le ciel mouvait ma plume, comblait ma page. Ces forfanteries baignaient dans un mélange de lyrisme fruste et de roublardises sentimentales. Je ne pouvais les relire sans rire et me méprisais, fougueusement ; je me demande si j'ai changé de style depuis ces lettres inaugurales à un lecteur leurré.

Marianne n'était pas un lecteur de roman ; la leurrer était sans noblesse : elle m'envoyait chaque jour des lettres brûlantes, elle avait foi en moi, elle n'avait consenti cette séparation, pour elle si douloureuse, qu'afin que j'écrivisse. Elle m'avait soutenu dans mon projet de fuir Annecy où je n'écrivais rien (elle ne savait pas, si je le devinais, qu'à Mourioux m'attendait une page tout aussi blanche, qu'aucun voyage ni pédante retraite ne suffisent à remplir), et où j'avais passé un hiver funeste ; dans cette ville facile, propre aux effusions romantiques et au pensum bariolé des sports de neige, j'enrageais davantage que dans de plus grandes villes, où la misère s'allège d'être côtoyée sans cesse, et partagée. Puis, Marianne jouant dans une troupe locale, j'avais inconsidérément accepté un petit emploi à la Maison de la Culture : la promiscuité en laquelle il me fallait vivre avec de bons apôtres forts de leur mission civilisatrice et des fonctionnaires à hobbies, dans une constante surenchère de créativité dévote, m'exaspérait. Je me souviens de certains soirs de causerie littéraire : en haut, on parlait de poésie et de désir, du plaisir ineffable qu'on prend, dit-on, à composer des livres ; en bas, ayant trouvé la clef de la cave où étaient stockées les bières du petit bar intérieur, je me saoulais sans vergogne. Je me souviens de la neige, toute de fleurs légères dans le halo des réverbères, et pesante et noire autour du bâtiment, foulée de tant de pas et de roues, où j'aurais voulu tomber. Je me souviens, avec des larmes, du sourire étranglé du peintre Bram Van Velde invité là un soir et égaré, de sa trop longue gabardine d'un autre temps, de son chapeau mou qu'il tint gauchement tout le temps qu'il resta assis en butte à ses admirateurs en verve, vieillard bénin et doux, interloqué comme un stylite au pied d'un mât de cocagne, honteux des sottes questions qu'on lui posait, honteux de n'y savoir répondre qu'en monosyllabes d'assentiment factice, honteux de son œuvre et du sort que le monde fait à tous, de la parole burlesque dont il afflige les bavards, du burlesque silence dont il abolit les muets, de la vanité commune aux bavards et aux muets, pour leur commun malheur.

C'est là ce que me fut Annecy, que je quittai un matin de janvier ou février. Le jour n'était pas levé encore, le gel poignait ; nous habitions très loin de la gare, j'avais plusieurs valises, stupidement encombrantes, lourdes des livres qui me suivent comme un bagnard son boulet ; Marianne et moi avions chacun un vélosolex. Nous y avons tant bien que mal arrimé les valises ; j'étais malheureux et furieux, j'avais froid, les traits de Marianne étaient enlaidis de sommeil : à peine eut-elle fait

163

quelques mètres que le bagage dont elle s'était chargée tomba. J'eus horreur de mon indigence, de nos moufles et de nos passe-montagnes, des ficelles de pauvre rognant le mauvais carton des valises, de notre maladresse dans la banalité désastreuse ; j'étais un personnage de Céline partant en vacances. Je jetai mon solex dans le fossé, les valises éparpillées s'ouvrirent, la littérature haïe détala dans la boue ; sous les arbres noirs près du lac noir, ma silhouette gesticula, infime et forcenée, je criai dans le *christus venit*, insultai ma compagne comme un ouvrier qui part mal remis de la cuite de la veille, et dont l'épouse a oublié de préparer la gamelle ; j'aurais voulu être un de ces livres chavirés et insensibles que je piétinais. Marianne se mit à pleurer, tentant de remettre en place le pénible bât de bouquins, et les sanglots l'en empêchant : son pauvre visage, que déparaient le passe-montagne, le froid et le chagrin, me déchira : je pleurai à mon tour, nous nous embrassâmes, nous eûmes des tendresses d'enfant. À la gare, elle courut longtemps sur le quai le long du train qui m'emportait, maladroite et éclatante, m'envoyant des clowneries si mièvrement délicates en dépit des pleurs qui devaient lui barrer la gorge, si risiblement trottinante et admirable d'espoir, que je pleurai longtemps encore dans le wagon surchauffé.

Je fis en train un voyage terrifié ; il allait falloir écrire, et je ne le pourrais pas : je m'étais mis au pied du mur, et n'étais pas maçon.

À Mourioux, mon enfer changea ; c'est à celui-ci que je me suis tenu désormais. Chaque matin, je posais la page sur mon bureau, et attendais en vain que la remplît une faveur divine ; j'entrais à l'autel de Dieu, les instruments du rituel étaient en place, la machine à écrire à main gauche et les feuillets à main droite, l'hiver abstrait par la fenêtre nommait les choses plus sûrement que n'eût fait l'été profus ; des mésanges voletaient, qui n'attendaient que d'être dites, des cieux variaient, dont la variation se pourrait réduire à deux phrases ; allons, le monde ne serait pas hostile, resserti dans le vitrail d'un chapitre. Des livres m'entouraient, bienveillants et recueillis, qui allaient intercéder en ma faveur ; la Grâce ne saurait assurément résister à un si bon vouloir ; je la préparais par tant de macérations (n'étais-je pas pauvre, méprisable, détruisant ma santé en excitants de tous ordres ?), tant de prières (ne lisais-je pas tout ce qui se peut lire ?), tant de postures (n'avais-je pas l'air d'un écrivain, son imperceptible uniforme ?), tant d'Imitations picaresques de la vie des Grands Auteurs, qu'elle ne pourrait tarder à venir. Elle ne vint pas.

C'est que, orgueilleusement janséniste, je ne croyais qu'à la Grâce ; elle ne m'était point échue ; je dédaignais de condescendre aux Œuvres, persuadé que le travail qu'eût exigé leur accomplissement, si acharné qu'il fût, ne m'élèverait jamais au-dessus d'une condition d'obscur convers besogneux. Ce que j'exigeais en vain, dans une rage et un désespoir croissants, c'était *hic et nunc* un chemin de Damas ou la découverte proustienne de *François le Champi* dans la bibliothèque des Guermantes, qui est le début de la *Recherche* et en même temps sa fin, anticipant toute l'œuvre dans un éclair digne du Sinaï. (J'ai compris, trop tard peut-être, qu'aller à la Grâce par les Œuvres, comme à Guermantes par Méséglise, c'est « la plus jolie façon », la seule en tout cas qui permette d'apercevoir le port ; ainsi un voyageur qui a marché toute la nuit entend à l'aube la cloche d'une église conviant un village encore lointain à une messe que lui, le voyageur qui se hâte dans la rosée des trèfles, va manquer, passant le porche à l'heure enjouée où les enfants de chœur dévêtus desservent les burettes, rient dans la sacristie. Mais ai-je vraiment compris cela ? Je n'aime pas marcher la nuit.) Ayant, comme tant de nigauds infortunés, pris pour dogme les rodomontades juvéniles de la *Lettre du Voyant*, je « travaillais » à me faire tel, et en attendais l'effet de miracle promis ; j'attendais qu'un bel ange byzantin, descendu pour moi seul dans toute sa gloire, me tendît la plume fertile arrachée à ses rémiges et, dans le même instant, déployant toutes ses ailes, me fît lire mon œuvre accomplie écrite à leur revers, éblouissante et indiscutable, définitive, indépassable.

Cette naïveté avait son revers d'avidité retorse : je voulais les plaies du martyr et son salut, la vision de la sainte, mais je voulais aussi la crosse avec la mitre qui imposent silence, la parole épiscopale qui couvre celle même des rois. Si l'Écrit m'était donné, pensais-je, il me donnerait tout.

Abêti dans cette croyance, absenté dans l'absence de mon Dieu, je m'enfonçais chaque jour plus avant dans l'impouvoir et la colère, ces deux mâchoires de la tenaille dans l'étau de laquelle hurlent les damnés.

Et, tour d'écrou redoublant l'étreinte, comparse nécessaire et voyeur des plaies infernales, le doute venait à son tour, m'arrachait à la torture de la croyance vaine pour un supplice plus noir, me disant : Si l'Écrit t'est donné, il ne te donnera rien.

Perdu dans ces pieuses sottises, je sentais la sacristie (je ne crois pas qu'aujourd'hui l'odeur m'ait quitté) ; les choses déclinaient ; j'avais oublié les créatures, le petit chien qui regarde si bonnement saint Jérôme écrivant dans un tableau de Carpaccio, les nuages et les hommes, Marianne en passe-montagne courant derrière un train. Et bien sûr la théorie littéraire me répétait à satiété que l'écriture est là où le monde n'est pas ; mais quelle dupe j'étais : j'avais perdu le monde, et l'écriture n'était pas là. Ces saisons à Mourioux passèrent comme un rêve, sans que j'en visse autre chose qu'un rayon de soleil parfois m'agaçant quand il se déplaçait sur le blanc de ma page, m'éblouissait ; je n'aperçus pas le printemps et ne sus que c'était l'été, lors de mes escapades sans gloire, que parce que la bière y est plus fraîche et comme naturelle, plus plaisamment enivrante. Dans ces mois funestes où je cherchais la Grâce, j'ai perdu la grâce des mots, du simple parler qui réchauffe le cœur qui parle et celui qui écoute ; j'ai désappris de parler aux petites gens parmi lesquels je suis né, que j'aime encore et dois fuir; la théologie grotesque que j'ai dite est ma seule passion, elle a chassé toute autre parole; ma parentèle paysanne ne pourrait que rire de moi ou se taire avec gêne si je parlais, me craindre si je me taisais.

Je ne m'échappais de Mourioux que pour courir dans diverses villes des bordées qui décuplaient mon absence au monde, mais complaisamment la dramatisaient; sorti de la gare, je me jetais dans le premier café et buvais avec application, de bar en bar progressant jusqu'au centre; je ne me dérobais à ce devoir que pour acheter des livres ou empoigner au hasard des femmes consentantes. Chaque biture m'était une répétition générale, un radotage des formes déchues de la Grâce : car l'Écrit, pensais-je, viendrait à son heure de la sorte, exogène et prodigieux, indubitable et transsubstantiel, changeant mon corps en mots comme l'ivresse le changeait en pur amour de soi, sans que tenir la plume me coutât plus que lever le coude; le plaisir de la première page me serait comme le frisson léger du premier verre; l'ampleur symphonique de l'œuvre achevée résonnerait comme les cuivres et les cymbales de l'ivresse massive, quand verres et pages sont innombrables. Archaïque moyen, grossier subterfuge de chaman paysan ! J'imagine que les bipèdes épouvantés des Cyclades, de l'Euphrate ou des Andes, à des millénaires de la Révélation, se pochardaient de la sorte en pure perte pour simuler Sa venue; et il n'y a pas si longtemps que les grands Indiens des Plaines en sont morts jusqu'au dernier, attendant peut-être que l'eaude-feu les fournît en Messies ou inspirât au plus veule d'entre eux des *Iliade* et des *Odyssée*.

Marianne une fois vint à Mourioux, au tout début de mon séjour, en mars, et il faisait beau. Je me dois justice : quoique peu touché par la Grâce, j'en conservais l'espoir, et avais d'ailleurs écrit quelque chapitre d'un petit texte exalté et pieusement moderne, où une encombrante « recherche » formelle vêtait des chevaliers en armure sortis de Froissart ou Béroul ; mais j'en étais heureux, voulais les lui faire lire, et le souvenir de Marianne dans ce soleil d'hiver, m'enchante. Elle descendit du taxi, elle était en beauté, rayonnante et bavarde, fardée ; dans le couloir, je la caressai : je me souviens avec autant d'émoi qu'à l'instant où un geste brutal me la livra, de sa chair pâle dans des bas noirs, de ses mots que ma main fit trembler. Nous nous sommes promenés dans les rochers moussus, dans les herbes qui sont une friandise quand le gel si délicatement en nappe chaque brin ; une fois, nous avons vu le soleil matinal sortir de la brume, éveiller les forêts, ajouter le rire de Marianne aux mille éclats de rire dont est fait, dit le psaume, le char de Dieu ; son visage rosi, son haleine dans le froid, son œil radieux, me sont présents ; jamais plus nous ne vécûmes ensemble des heures semblables ; et de toute cette année-là, comme je l'ai dit, hormis ces quelques jours d'hiver que me donna Marianne, les saisons m'échappèrent.

Nos rencontres postérieures pourraient être racontées par un des douloureux idiots de Faulkner, de ceux que hantent la perte et le désir de perdre, puis la théâtralisation et le radotage de la perte : à Lyon (je la rejoignais au hasard de ses tournées) où je bus — ou perdis — en un jour le peu d'argent de mon séjour ; je montai vers Fourvières avec des jambes de plomb ; je n'avais plus même le goût de poser la main sur Marianne : je m'étendais nu sur le dos et attendais qu'elle me chevauchât, comme se laisse border un enfant couché. À Toulouse, où je courtisai sous ses yeux une amie d'enfance retrouvée là, et en gâchai mon souvenir. À Bourges enfin, où il y a une buvette dans les jardins de l'évêché ; Bourges, près de laquelle est Sancerre où Marianne m'avait conduit, attentive à me distraire de mes pensers sinistres, elle la fervente qui espérait encore, et moi qui la contraignis à ce triste jour, déclamant entre deux rasades, invectivant les touristes interdits, et l'immense amphithéâtre de la vallée descendant jusqu'à la Loire glorieuse me donnant la risible illusion de composer Ajax ivre ou Penthée, quand j'étais un maigre Falstaff. Public fidèle et las, Marianne commençait à trop savoir que j'interprétais exécrablement, sempiternellement, ces rôles.

Elle vint une autre fois à Mourioux, et ce fut la dernière. J'étais alors au comble de la disgrâce ; des barbituriques pris à longueur de jour s'ajoutaient à l'alcool ; vitreux, je chancelais dès le matin et avais à peine la force encore de balbutier pour la millième fois mes poèmes fétiches ou, bavochant, des Abracadabras joyciens que les anges entendaient en riant aux éclats et, invisibles, m'abandonnaient à mes limbes ; dans l'absence de l'Écrit, je ne voulais plus vivre, ou seulement gavé, somnolent et niais, et le geste sanglant qui m'eût définitivement absenté me semblait un sort mièvre, coup d'épingle que se réservent les baudruches gonflées d'honneur, quand je suis sans honneur et gonflé de vanité seule. Marianne me trouva au plus profond de cet enfantillage interminable ; elle dut enfin se rendre à l'évidence : c'était bien là ma vérité, et mes lettres mentaient.

Elle avait alors quelques contrats, des emplois : elle s'était acheté une petite voiture. Un jour, nous sommes allés aux Cards. La porte poussée, je ne reconnus pas la maison où sentimentalement j'ai le souvenir d'être né, mais une masure ou croulaient les gravats, à l'odeur de cave ; parmi d'autres outils en haut de l'escalier, une cognée me sembla digne de mains de bourreau ; une épaisse corde à lier les voiturées de foin prolongeait l'atmosphère de grand-guignol. Marianne en talons hauts, et dont je savais le linge délicat, semblait une reine en fuite à la merci d'un manant ; je l'aimais pourtant, mon cœur saignait d'être ce manant aux mains brusques, au regard mauvaisement inassouvi ; je songeais en relevant ses jolies jupes à la robe blanche et à la ceinture dorée de la chanson d'enfants. Nue, je lui fis tenir des postures insensées dans la chambre poussiéreuse. Elle était excédée mais à vif, et sa jouissance fut âcre comme la poussière qu'elle mordait ; j'étais d'autant plus raide que tout mon être sombrant d'alors se réfugiait dans la raideur de la pointe agressive dont j'éperonnais cette reine, ou cette enfant, pour qu'elle me suivît dans mon naufrage : anonymes dans les toiles d'araignée, nous étions des insectes s'entre-dévorant, féroces, précis et rapides, et cela seul nous liait désormais. Au retour, la nuit était tombée ; Marianne conduisait, machinale et silencieuse ; une bouteille de Martini vide roulait entre mes pieds ; un lapin débusqué se mit à courir le long de nos phares, comme il arrive souvent à ces bêtes sans qu'on sache alors si elles sont terrifiées ou horriblement séduites. Méchamment je le regardais galoper derrière ce faux jour mortel. Marianne prenait garde à l'éviter ; je saisis sournoisement le volant de la main gauche, la voiture fit le peu d'écart nécessaire à la mort d'un lapin ; je descendis et le ramassai : l'amusant cavaleur aux longues oreilles était ce poil trempé, gluant ; il pantelait encore, je l'achevai dans la voiture avec mon poing. C'était le frère du petit lapin qui gambade parmi les mille fleurs des tapisseries, le conil de la *Dame à la Licorne*, et il eût mangé dans la main d'un saint : sans doute ces fadaises occupaient-elles mon esprit pendant que je l'assommais. La clairvoyance me revint d'un coup avec une sensiblerie peureuse, et la honte me submergea : j'aurais aussi bien pu faire dérailler la locomotive pour écraser Marianne du poids de tout un train, en gare d'Annecy. Je ne la regardais pas, j'aurais voulu disparaître : son chagrin et son dégoût étaient tels qu'elle gémissait sans pouvoir dire un mot.

La lettre vint peu après : Marianne y disait sa volonté de rompre, et que là-dessus elle ne reviendrait pas. Le seul texte important que le Ciel m'eût envoyé cette année-là était celui-ci, que je tenais en tremblant, indubitable certes et prodigieux à sa manière, mais il n'était pas de ma main et me changeait en terre ; ma pompeuse volonté d'alchimie du verbe avait opéré à rebours. Je lisais et relisais ces mots miraculeux et mortels comme, pour un lapin, les phares d'une auto dans la nuit ; c'était la fin d'octobre, le vieux soleil agitait au-dehors un grand vent : j'étais ce feuillage que le vent défait, qu'il exalte mais enterre.

Pas de jour plus insupportablement fort que celui-ci dans ma mémoire ; j'y expérimentais que les mots peuvent s'évanouir et quelle flaque sanglante, bourdonnante de mouches et harcelée, ils laissent d'un corps dont ils se sont retirés : eux partis, restent l'idiotie et le hurlement. Toute parole, toute larme abolies, je poussais des cris de crétin bousculé, je grognais : prenant Marianne dans la chambre des Cards comme un porc à la glandée couvre la paysanne qui l'y conduit, j'avais dû pousser de semblables grognements ; mais ceux-ci étaient plus émus encore, ils sentaient l'abattoir. Si je quittais un instant ma douleur, la nommais et me voyais la vivre, je ne pouvais qu'en rire, comme font rire les mots « pisser le sang » si d'aventure, vous pissez du sang.

Alertée par mes cris ma mère, éperdue d'inquiétude, me crut devenu fou ; la pauvre femme m'adjurait de lui parler, de revenir à la raison. Sous les

173

yeux de ce témoin aimant et désespérément apitoyé, le grotesque égoïsme de ma douleur redoubla. Ma mère partit enfin. La parole me revint : j'avais perdu Marianne, j'existais ; j'ouvris la fenêtre, me penchai dans le grand éclat froid : les cieux, comme d'habitude, comme écrits dans le psaume, narraient la gloire de Dieu ; je n'écrirais jamais et serais toujours ce nourrisson attendant des cieux qu'ils le langent, lui fournissent une manne écrite qu'ils s'obstinaient à lui refuser ; mon désir glouton ne cesserait pas davantage que son inassouvissement devant l'insolente richesse du monde ; je crevais de faim aux pieds de la marâtre : que m'importait que les choses exultassent, si je n'avais pas de Grands Mots pour les dire et que nul ne m'entendît les dire ? Je n'aurais pas de lecteurs, et n'avais plus de femme qui, m'aimant, m'en tînt lieu.

Je ne pouvais tolérer la perte de ce lecteur fictif qui feignait, avec de si tendres égards, de me croire gros d'écrits à venir : il y avait longtemps que moi-même n'y croyais plus, et en elle seule survivait un semblant de croyance ; elle était en quelque façon, sous mes yeux et dans ma main, tout ce que j'avais écrit et pourrais jamais écrire ; je dirais : mon œuvre, si cela n'était grotesque — et n'est que trop vrai. Elle disparue, je cessais, même mensongèrement, de m'être crédible. Mais il y avait pire sans doute : dans ma déréliction, dans mon vain isolement, elle avait fini par me tenir lieu de toutes les autres créatures ; je m'en remettais à elle pour me représenter le monde ; elle était celle qui dispose les bouquets pour qu'apparaissent les fleurs qu'on n'a pas vues, qui montre du doigt les horizons notables, et équivaut les choses qu'elle nomme ; du passe-montagne aux bas noirs, elle occupait tout l'éventail de ce qui vit, des plus pitoyables proies aux fauves les plus désirés ; elle était le petit chien de saint Jérôme. Et, s'enfuyant par ma faute, la petite bête avait emporté avec elle les livres, les lutrins et l'écritoire, avait dépouillé de sa pourpre hautaine et de son camail noir le patriarche érudit, ne laissant à sa place dans le tableau calciné qu'un Judas nu, ignare et impardonné au pied de la croix dont il est coupable.

La meute universelle, privée du petit chien allié qui la détournait sur de fausses pistes, me tenait ; je me sentais cerf au dernier quart d'heure. Il fallait fuir ce monde épouvantable : la neuvaine alcoolique à laquelle j'avais tout d'abord naturellement pensé, me parut un interminable cul-de-sac, qu'il me faudrait franchir entre des piqueurs ; je choisis une issue plus veule, mais sûre. J'allais à La Ceylette.

J'y avais fréquenté cette année-là un de ces hôpitaux psychiatriques new-look, construits en pleine campagne et sans murailles, qui ne manquent pas de charme ; j'y venais consulter le docteur C., grand jeune homme indolent, un peu fat et non dénué d'une certaine gentillesse. Des immenses fenêtres de son cabinet, le regard embrassait des forêts ; il y avait aux murs une grande carte de l'Île Mystérieuse de Jules Verne, qui n'existe sur aucune mer, et des portraits de poètes morts deux

175

fois, de folie avant que de bonne mort. Il avait quelque instruction, m'en trouva, et nous nous touchâmes par ce point : nous parlions de sujets à la mode, de l'éternel pont-aux-ânes qui relie démence à littérature, de Louis Lambert, Artaud ou Hölderlin. (Avec émotion pourtant, je me souviens qu'il mentionna que son grand-père, homme de peu, lui avait fait lire Céline, quand il était adolescent.) Mais enfin je venais consulter, et non sans duplicité : car si je n'attendais peut-être pas grand-chose de ces conversations thérapeutiques, du miracle anamnésique ni du sésame de l'association libre, j'attendais tout en revanche des petites pilules que sournoisement je lui extorquais et qu'il croyait me prescrire ; si j'abondais dans son sens en effet, si j'appuyais sans trop de maladresse sur la chanterelle littéraire, si surtout je l'aiguillais au bon moment sur les romantiques allemands, son violon d'Ingres, à propos desquels son discours excellait, j'avais l'assurance qu'au bout d'une heure il sortirait jovialement le providentiel bloc à ordonnances et, dans la lancée, prescrirait sans sourciller des doses renouvelables de soporifiques à assommer un bœuf, mais qui me permettraient, à moi, de m'échapper tout guilleret de son cabinet, avec l'assurance de ne voir le monde pendant de longs jours qu'à travers une adorable buée légère.

Mais ce jour clair et terrible d'octobre, nulle buée ne me le pouvait cacher ; seule le pouvait l'épaisseur opaque de la mer que j'aurais voulu recevoir sur la tête ; je voulais être un poisson lent des grands fonds, une insensible outre goulue, je voulais une cure de sommeil : je savais que le docteur C. ne me la refuserait pas, et il se fit peu prier en effet. Savamment lesté du scaphandre chimique, je descendis en douceur dans les eaux sans phrases où le passé se calcifie, où la mort des poissons s'écrit en de gigantesques pages de calcaire — dont une des variétés est le marbre —, où le moule de la perte s'emplit de plomb. Quand ma lanterne brièvement se rallumait, des infirmiers maternels me nourrissaient, me faisaient fumer des cigarettes que ma main tremblante ne pouvait retenir : *Eurypharynx Pelecanoides*, le Grandgousier des abysses, est un être à grande bouche, sans témoin, et satisfait.

Il fallut remonter. De ce retour douloureux mais clair, aucune des métaphores dont je viens d'abuser ne saurait rendre compte.

La cure de sommeil accomplie, je restai deux mois à La Ceylette. Je repris contact avec l'hiver sans doute, avec mon nouveau deuil, avec la vieille grâce suspendue ; mais surtout j'y vis des hommes en exercice, réduits à leur flagrant délit de parole ou de silence. Car à l'asile plus qu'ailleurs encore, le monde est un théâtre : qui simule ? qui est dans le vrai ? lequel mime le grognement de la bête pour qu'éclose plus pur le chant espéré de l'ange ? lequel grogne à jamais en croyant enfin chanter ? Et tous simulent sans doute, si l'on admet que la folie accomplie, à lier et sans plus de mots pour se dire, est une simulation qui a outrepassé son but.

Il y avait là quelques-uns de ces malades citadins, instruits, à qui les médias ou les best-sellers romanesques ont appris que la dépression nerveuse frappe les belles âmes, et qui la pratiquaient avec application. Ceux-là papotaient comme ils eussent fait ailleurs : le conformisme de la maladie mentale, le sentiment d'appartenir à une vaste élite égrotante, un triomphalisme de la malédiction partagée, tout cela rendait ces élus somme toute contents de leur sort. Ce n'était pas que coquetterie pourtant, et ces gens souffraient ; mais, peu à l'aise en leur compagnie, où je ne pouvais qu'opiner et doucereusement apporter de l'eau à leur moulin, je les fuyais ; je leur préférais le commerce des crétins de l'arrière-pays, dont l'extravagance était maladroitement sentimentale, et que ne déparaient d'autres mots appris que ceux des romances de bal musette, de juke-box. Puis, la pensée sans doute leur était venue avec le délire, sans autre transition ; et sans autre transition, la pensée s'était arrêtée dans cet éclair. Je reparlerai de ceux-ci, qui sont chers à ma mémoire, un pyromane amoureux des arbres, un paysan veuf de sa mère, d'autres ; je parlerai d'abord de Jojo.

C'était — on appelait ainsi — un aristocrate atteint de sénilité évolutive, aiguë. Quel avait été son nom avant qu'il ne réponde à ce diminutif d'infamie, toujours assorti de rires gras ou de menaces ? Il n'aurait su le dire, ne parlant plus, mais hurlant ou babillant presque sans répit. Georges peut-être, ou Joseph ? Vraisemblablement alors, c'était ce petit nom que jadis lui avait donné tendrement, rieusement, une femme ouverte

178

encore, quand on se sourit dans les draps apaisés, qu'on fume nu, glorieux et humble. Il avait sûrement eu des femmes, et avait peut-être lu des livres.

Jojo était immonde ; sa démarche incohérente était d'un pantin ; son inassouvissement était constant et exécrable : ses convoitises n'étaient plus servies par la parole, qui permet de les satisfaire en les édulcorant, et pas davantage par la rectitude du geste, qui fait qu'on s'empare avec grâce d'un objet grossièrement convoité ; il enrageait de ces inadéquations. Ici ou là, au parloir où des rires l'accueillaient, dans le parc où les choses silencieuses persistaient, il apparaissait, pur bloc de colère mouvante, jaculatoire, comme on imagine que se manifestaient les dieux aztèques au mieux de leur forme ; comme eux, il suspendait un instant son regard fulminant sur un monde à détruire ; puis tournait les talons et disparaissait, comme eux plein de massacres et de sanglots, écorché mais terreux, marchant comme une hache abat un arbre.

On lui servait à manger dans le hall du réfectoire, à une table spécialement aménagée, où un saladier était scellé, dans lequel des bouillies diverses l'attendaient ; on lui nouait les reins à sa chaise, un drap en guise de serviette autour du cou ; il avait pour couvert une sorte de louche : en dépit de ces précautions, l'incoordination de ses mouvements était telle, et telle pourtant l'impétuosité de son malheureux appétit, qu'après son repas dans cette auge, la nourriture perdue éclaboussait

179

tout son corps et le sol autour de lui. Je le voyais de ma place, au réfectoire ; malsainement je l'observais et riais sous cape de notre fraternité. Une fois, comme machinalement je relevais la tête entre deux plats, je ne vis pas le monstre, mais de dos une silhouette penchée vers lui, tout près, qui semblait lui parler ; l'inconnu, de bonne taille, portait de mauvais blue-jeans de foire villageoise et de lourdes bottes boueuses de paysan. Sa conversation singulière, qu'il poursuivait à voix trop basse pour qu'on pût la démêler des gémissements de l'idiot, aurait suffi à m'intriguer ; mais aussi, dans cette nuque ferme aux cheveux drus, dans cette main économe qui tenait non sans grâce, mais avec un soupçon de réticence hautaine, une cigarette blonde, quelque chose me frappa, que j'avais déjà vu. Nous sortîmes du réfectoire ; je vis le visage de Jojo : il était plus humain, extatique ou fou de rage, comme si sa colère s'était enfin défini une cible ou qu'il se souvenait de quelque chose que jadis il avait su nommer, embrasser, tenir d'une main ferme ; il poussait une sorte de lointain gargouillis ininterrompu, que je ne lui connaissais pas. L'homme était toujours penché sur lui ; à regret, il fit un pas de côté pour nous laisser passer : sa veste était maculée de la nourriture vagabonde de l'idiot ; il me fit face ; nos regards se croisèrent, hésitèrent, retombèrent. Je reconnus l'abbé Bandy.

Il était pourtant méconnaissable. Le temps l'avait empaysanné ; l'arrière-campagne l'avait des pieds à la tête oint de son huile épaisse, lourdement odorante. Là-dessus une autre onction, plus aiguë et pire, que je ne sus d'abord nommer : le visage était couperosé à l'extrême, sous une buée l'œil s'absentait ; là-dedans le regard était de la neige au fond d'un trou, lors du dégel. Il était d'une maigreur profonde, mais peu intéressante ni spectaculaire, sur laquelle le teint flamboyait comme un fard ; la main tremblait un peu, avec pourtant toujours cette froide façon, méprisante même pas mais intraitable, de tenir la cigarette de luxe, comme si la tenir était la meilleure manière de l'omettre. Il me reconnut fort bien, et comme moi passa outre, sans un mot.

De la fenêtre de ma chambre, je vis l'abbé peu après sortir, se camper face au froid, tirer la fermeture Éclair de sa veste, jeter son mégot : ces gestes aussi, je les connaissais bien. Il enfourcha un vélomoteur, s'éloigna en pétaradant dans la campagne acide d'où Marianne était absente, et tout pardon, et l'été lointain. Je me souvins d'un autre homme.

J'avais l'âge du catéchisme alors, et n'attendais d'autre salut que celui que je recevrais de moi-même à l'âge adulte, quand je serais compétent, et fort, pour peu que j'y fusse décidé : j'étais enfant, j'étais raisonnable. La rareté des desservants avait déjà entraîné en désuétude l'unité territoriale et spirituelle de la paroisse ; l'église de Mourioux, avec quelques autres petits clochers de village aux vieux saints, était desservie par le curé de Saint-Goussaud ; l'abbé Lherbier, vieillard bonasse qui s'occupait d'archéologie, était alors dans cette cure; il mourut; on apprit que l'abbé Bandy le remplaçait. Des rumeurs le précédèrent : c'était un fils de famille, de Limoges ou Moulins peut-être; c'était surtout, et les paroissiens en conçurent un vague orgueil teinté de méfiance, un jeune théologien plein d'avenir, mais frondeur, dont l'évêché avait jugé bon de mettre la vocation à l'épreuve en l'envoyant paître les plus humbles ouailles paysannes, à Arrènes, Saint-Goussaud, Mourioux, autant dire *in partibus*. Il s'installa au printemps, et ce fut en mai sans doute, si j'en crois mon souvenir de bouquets de lilas baignant les pieds de plâtre d'une Vierge, qu'il célébra à Mourioux sa première messe : j'y appris, avec l'odeur du tabac blond, que la Bible est écrite de mots et qu'un prêtre peut, mystérieusement, être enviable.

À travers les vitraux un grand soleil affluait sur les marches du chœur; mille oiseaux au-dehors chantaient, l'odeur touffue des lilas semblait celle, polychrome et violente, des vitraux; dans la flaque d'or sur la pierre grise, Bandy chamarré entra à l'autel de Dieu. L'homme était beau, sûr, et d'un geste si juste bénissant les fidèles qu'il les tenait d'autant plus à distance, à bout de bras. J'aurais voulu pleurer, et ne pus que m'extasier : car les mots soudain ruisselèrent, ardents contre les voûtes fraîches, comme des billes de cuivre jetées dans une bassine de plomb; l'incompréhensible texte latin était d'une netteté bouleversante; les syllabes sous sa langue se décuplaient, les mots claquaient comme des fouets sommant le monde de se rendre au Verbe; l'ampleur des finales, culminant avec l'exact retour du prêtre dans l'envol d'or de la chasuble au *Dominus vobiscum*, était une basse insidieuse de tam-tam fascinant l'ennemi, le nombreux, le profus, le créé. Et le monde rampait, se rendait : au terme de cette nef soudain ensoleillée sans effet, au sein de cette campagne si verte, dans les odeurs et les couleurs, quelqu'un, au verbe embrasé, savait se passer des créatures. Au bord de la travée, peut-être défaillante et la chair rousse de sa lèvre palpitante dans les répons murmurés comme des promesses, Marie-Georgette en crêpe pâle sous sa voilette blanche, les yeux grands, gratifiait Bandy du regard dont une levrette gratifie le grand-veneur, ou une ursuline blanche, jadis à Loudun, Urbain Grandier.

Je ne me souviens pas du sermon de ce jour-là; mais je me doute que comme toujours, dans les sermons obscurs et rutilants de Bandy, y flamboyèrent des gerbes de noms propres dont les syllabes aiguës parlaient de toute-puissance écroulée, d'anges terrifiants et d'anciens massacres. Il y fut peut-être question de David (Bandy en faisait claquer la finale contre son palais, comme pour redoubler ou ratifier, en la refermant sur elle-même, la majuscule initiale, royale), qui sur le tard eut besoin d'une jeune servante comme d'un cataplasme sur son cœur sec de vieux roi tueur à l'agonie; de Tobie (il prononçait Tobi-e, étirant et anoblissant d'un yod ce mot vaguement ridicule qui à l'enfant que j'étais ne pouvait évoquer qu'un chien), qui rencontra au bord d'une rivière un ange et un poisson; d'Achab, dont le destin fut chaotique comme son nom de hache et d'ahan, et qui sombra ; d'Absalon, dont les consonnes vipérines sifflent comme la perversité de ce fils indigne ou les sagaies qui le transpercèrent, suspendu par les cheveux à un grand arbre, lourd et acculé comme sa finale de plomb. Car Bandy avait le goût d'assener des noms propres, spectres royaux ou refrains de vieilles chansons à tuer, qu'il faisait planer sur un monde nostalgique ou terrifié, sans autre alternative.

Les mots à mon tour m'entraînent trop loin : qu'on ne s'autorise pas de ma maladresse pour penser que Bandy était un sombre prédicateur, tel que l'ont popularisé le roman gothique et ses avatars ; on se méprendrait. Il ne terrifiait personne, et là n'était d'ailleurs pas son but, son éthique conciliante invitant davantage aux jardins d'indulgences papistes qu'à la médiocre geôle luthérienne ; il ne menaçait d'aucune calamité, et dans sa bouche les Sept Plaies d'Égypte étaient davantage un fait divers chargé d'éclat, d'énigme et de passé, comme les Énervés de Jumièges ou la Mort de Sardanapale, qu'un juste châtiment du ciel. S'il voulait dompter le monde, c'était à son propre usage et sans léser quiconque, par la seule puissance de sa juste diction, par la seule forme achevée des mots, sans préjudice de leur signification morale ; et il ne pensait pas vraisemblablement que ce monde fût mauvais, mais au contraire insolemment riche et prodigue, et qu'on ne pouvait répondre à sa richesse qu'en lui opposant, ou lui ajoutant, une magnificence verbale épuisante et totale, dans un défi toujours à recommencer, et dont l'orgueil est le seul moteur.

« Il s'écoute parler », disait ma grand-mère, qui avait passé l'âge du crêpe blanc et des voilettes ; en effet : il s'enivrait des échos de son verbe, s'émouvait de l'émoi qu'il causait aux chairs des femmes et aux cœurs des enfants, en un mot il faisait du charme. Sa messe impeccable était une danse de séduction ; les noms y éclataient comme les plumes d'un oiseau à la parade ; la perfection chatoyante des consonances latines était le complément de la chasuble aux couleurs cycliques, qui est blanche pour le Christ et rouge pour les martyrs, et d'ordinaire timidement verte comme les prés ensoleillés, c'était le complément de la beauté virile, nette et brune, dont l'avait gratifié la nature. Qui cherchait-il à séduire ? Dieu, les femmes, lui-même ? Les femmes, certes, il les aimait ; Dieu sans doute, croyant alors que la Grâce ne se prêtait qu'aux riches, aux beaux parleurs ; lui-même sûrement, qui s'encombrait de chasubles sous les voûtes et de lourde moto sous le soleil, de belles maîtresses et de théologie.

La messe finit enfin. La dernière bénédiction fut aussi calme et magistrale que la première ; Marie-Georgette, qui savait ce qu'elle voulait et savait vouloir sans retard, le bruit sec de ses talons couvrant celui des chaises remuées, marcha décidément vers la sacristie, armée d'un quelconque prétexte, que j'ignore. Nous, les enfants, nous nous assîmes sous le portail, en haut de la volée de marches dont la dernière portait le poids d'une énorme moto noire, telle que jamais nous n'en avions vu : c'était, je crois, une des première B.M.W. exportées. Marie-Georgette sortit bientôt, sa jupe effleurant nos têtes, son parfum et son sourire dans l'été me comblant ; elle n'avait pas fini de traverser la place que l'abbé parut à son tour. Elle se retourna et le regarda ; il ne la voyait pas et ses yeux clignant un peu suivaient avec beaucoup d'étonnement la fuite d'un oiseau sur le feuillage, les toits. Il alluma une cigarette blonde : Mourioux ne connaissait pas ce luxe, cette odeur quasi liturgique, femelle, cléricale ; il en tira quelques bouffées, la jeta, referma son blouson et, ayant d'un geste ineffable, digne d'un grand dignitaire jadis en chasse, pris à pleines mains et jeté tout le poids de sa soutane sur la jambe d'appui, il enfourcha l'énorme bécane et disparut. Marie-Georgette se détourna, les glycines de sa porte dansèrent un instant, violettes, sur sa robe, et elle disparut à son tour ; sur la grande place ensoleillée ne restaient que trois ou quatre petits paysans étonnés, qui n'en revenaient pas de se voir assener d'un coup tant de mythologies : sur la moto d'une chanson de Piaf, était passé un évêque à profil d'Apollon, à bouche d'or.

Il resta presque dix ans à Saint-Goussaud ; j'étais adolescent et convoitais à mon tour, timidement, ce qu'il aimait, quand il en partit. Il ne fut pas curieux d'archéologie, mais de filles et des Écritures : peut-être, entre le Père qui est invisible, qui jadis écrivit le Livre, et ses créatures superlatives, les plus visibles et présentes, les femmes, ne

186

voyait-il en ce monde de place que pour lui-même,
Fils charmeur et rhétoricien qui célébrait l'absence
de l'un dans l'immanence des autres; il fit un
voyage en terre sainte, dont il nous projeta des dia-
positives, et eut quelques démêlés avec son
évêque; mais on ne sut de lui rien d'important. Il
n'avoua pas. Peut-être Marie-Georgette ou
quelque autre des maîtresses qu'il eut alors (toutes
celles qui, dans ses cinq paroisses, étaient belles,
aimaient les hommes et s'habillaient en ville, c'est-
à-dire en fin de compte guère plus que sur les
doigts d'une main), peut-être celles-là pourraient-
elles en dire plus : mais la vieillesse les a prises,
avec l'oubli ou le souvenir bavard, la campagne
referme doucement sur elles son linceul de saisons.

Il fut l'un des premiers à quitter la soutane (et
alors je ne revis plus le geste ineffable, d'évêque
chevauchant en croisade, avant le fracas de la
moto), quand le Saint-Siège le permit; il fut élégant, varié dans les gris, un foulard noué sur le col
dur, ou de pied en cap harnaché pour la moto :
mais jamais il n'éluda le retour inflexible des chasubles, leur code saisonnier invariable et compli-
qué : la rouge qui flamboie à la Pentecôte, comme
la flamme indubitable que reçurent les Apôtres et
que lui, Bandy, ne recevait pas; la violette endos-
sée à la fin de l'hiver, qui appelle les premiers cro-
cus et promet les lilas que peut-être il ne respirait
pas; et la rose du troisième dimanche de Carême,
satinée et gaufrée comme une lingerie féminine. Il
ne se départit jamais non plus, pour la messe, de la
précision sonore des mots, de l'ampleur déclama-

toire de prélat et du décorum gestuel hautement sobre, que j'ai dits ; sa diction trop belle, émaillée de mots incompréhensibles, résonna dix ans sous les voûtes aux saints frustes, guérisseurs de bestiaux, d'Arrènes, Saint-Goussaud, Mourioux ; et j'imagine sa rage secrète, lorsqu'il débitait ses pompeux sermons à des paysans respectueux qui n'y comprenaient goutte et des paysannes séduites, comme un pauvre Mallarmé fascinant l'auditoire d'un meeting prolétarien.

Hors de la messe, Bandy cessait de faire l'ange. Ni taciturne ni exalté, il s'efforçait à la simplicité et à la courtoisie, et il y parvenait, mais avec toujours quelque chose d'intraitable en secret : sa propre parole, il la tenait à distance de lui-même comme, du bout des doigts, il le faisait de sa cigarette ; quelque chose de brutal aussi peut-être, et brutalement contenu, comme lorsque, rageusement, il talonnait le kick de sa bécane.

(Il enterra des paysans morts ; il en vit souffrir, avec candeur ou hargne, mais maladroitement toujours ; il entendit dans les nuits de mai des rossignols, et le coucou dans les blés verts ; il entendit les longues cloches, les cloches fêlées, comme à Ceyroux, et les profondes, comme à Mourioux, les cloches de ses paroisses ; des moissonneurs dans la campagne le saluèrent, quand il marchait en blanc entre la croix et le cercueil : il était alors un homme qui passe, un médiocre volume de chair dans la main immense de l'été, suant sous le surplis comme les porteurs sous la bière. S'en émut-il ? Je le crois.)

Je me souviens avec plaisir du catéchisme, pendant la récréation de midi dans la fraîcheur de la sacristie, où nous n'apprenions rien; Bandy y était bienveillant, orgueilleusement et inexorablement bienveillant; parmi les grossiers petits paysans que nous étions, il était sans illusion : ce n'était pas un curé de Bernanos. Je revois son regard sur moi lorsque je venais de dire quelque bêtise, son regard bleu froidement indulgent, à peine apitoyé, s'attendant au pire.

J'ai un souvenir de plein été; c'était en juin sans doute, quand les vacances approchent et que les méchancetés enfantines s'impatientent avec un vague désir, s'enivrent d'elles-mêmes comme alors les abeilles sombrant dans les pollens des tilleuls, des genêts. Lucette Scudéry venait au catéchisme avec nous, les enfants rageurs et rieurs, les enfants sains : c'était une misérable créature qui, à dix ans, avait à peine un langage, des mains grêles qui ne savaient à tout propos que se lever pour parer des coups trop peu souvent imaginaires, et un visage éperdu que seul distrayait des pleurs un rire extatique, insupportable; mais ce visage au teint diaphane avait une sorte de joliesse incongrue, qui nous exaspérait : que cette joliesse s'assortît de débilité et d'épilepsie nous semblait autorisation railleuse du ciel à donner libre cours à nos débordements. Ce jour-là, très chaud, l'abbé était en retard; nous l'attendions sur le perron de l'église, la fraîcheur de la pierre à nos jarrets n'apaisant pas plus nos désirs que les gros mots et les mauvais gestes ne tempéraient nos colères; nos fureurs bientôt se portèrent sur Lucette. Sa mère, presque aussi misérable qu'elle, lui avait fait deux nattes frêles que retenaient des rubans bleus, dont à sa façon elle s'enorgueillissait, les touchant à tout moment avec de petits cris aigus. Nous les défîmes, ou plutôt les arrachâmes, en la bourrant de coups ; nous courûmes dans les herbes en faisant danser dans l'air les minces trophées bleus, avec des rires : agitant les bras, Lucette gémissait, titubante sur les marches ombreuses ; soudain elle ouvrit la bouche, son regard s'agrandit, fixe et comme fugacement doué de la raison qui lui manquait. Elle tomba, la mousse aux lèvres.

Elle se débattait dans la terrible crise que nous savions reconnaître, pour y avoir assisté déjà, quand arriva l'abbé. Sa silhouette endeuillée fut sur nous en deux enjambées ; son beau visage impassible nous surplomba : debout, il considéra avec une surprise d'enfant ce visage que convulsait une nécessité plus forte que la parole, ce balbutiement d'écume aux coins des lèvres, cet œil blanc sous le plein soleil ; il se ressaisit, rêveusement, chercha dans ses poches un mouchoir qu'il ne trouva pas, et prit dans ma main le ruban bleu que je n'avais pas songé à lâcher ; il s'accroupit, et de ses doigts tachés de nicotine, dont l'enduit d'ambre m'évoque encore les mots de « saint chrême », de « baume » et d'« onction sainte », il essuya les lèvres frémissantes : il semblait dérouler un phylactère couleur de ciel devant la bouche bavarde d'un saint. Dans les fleurs blanches des orties, près de la tête de l'enfant qui se calmait peu à peu, un papillon jaune d'or volait ; le ruban ensalivé resta dans l'herbe verte lorsque l'abbé partit, emportant chez sa mère l'enfant apaisée, brisée, dans ses bras.

Après le catéchisme, je revins seul dans la sacristie : j'avais oublié de transmettre un message de l'instituteur, ou de faire signer le cahier de présences. L'abbé ne m'entendit pas arriver ; il s'appuyait des deux mains à la fenêtre basse et se voûtait un peu, comme pour contempler au loin la campagne ; il parlait, d'une voix désarmée, peut-être implorante, ou stupéfaite, qui me figea. Il s'avisa de ma présence au milieu d'une phrase, se tourna vers moi et, sans surprise, me regardant comme si j'avais été un arbre dans la campagne ou une chaise dans l'église, il amena sa phrase à son terme, sur le même ton. Je crois aujourd'hui avoir entendu ceci : « Considérez les lis des champs. Ils ne sèment ni ne filent, mais je vous dis que le roi Salomon dans toute sa gloire n'était pas vêtu comme l'un d'eux. » Il signa le cahier et me congédia.

•

J'appris que Bandy était curé de la petite commune de Saint-Rémy, dont dépendait l'hôpital ; quant à Lucette Scudéry, je l'avais vue dans ces murs, à La Ceylette ; elle était ici depuis longtemps, et pour toujours ; elle ne me reconnut pas. Du visage aux gros yeux souffrants, à la lèvre pendante, toute joliesse était absente : sur elle aussi, l'immémorieuse pour qui le temps, réduit à l'intervalle entre deux crises, devait bien peu s'aggraver de souvenirs de rubans et de juins enfantins, les

191

années avaient passé. De la petite paroisse de jadis, nous étions venus tous les trois : le jeune curé promis à l'épiscopat, le garçon vif plein d'avenir et l'idiote sans lendemain ; l'avenir était là et le présent nous réunissait, égaux ou bien peu s'en fallait.

Un après-midi de la fin novembre, j'allai à Saint-Rémy : il y avait là, dans l'arrière-boutique du bureau de tabac, un stock de « Série noire » invendus depuis des lustres, écornés, couverts de chiures de mouches, parmi lesquels je me réapprovisionnais chaque semaine. Le village n'était qu'à quelques kilomètres et, par beau temps, la promenade ne manquait pas d'attraits ; le chemin serpentait à travers des châtaigneraies et de vieux granits, sur les flancs d'un petit mont au sommet duquel trois bouquets d'arbres donnaient l'illusion d'un triple sommet, et dont le nom de « Puy des Trois-Cornes », donné par les gens d'ici, m'évoquait un dieu cervidé, peint et enfoui à l'âge du Renne, avec pour tout témoin les racines des grands arbres aveuglément mêlées à ses bois ; sur la route, un panneau où bondissait un cerf avertissait de la présence d'un gibier fictif, fossile ou divinisé. Je n'étais pas sorti de la forêt qu'une voix derrière moi me héla ; je vis Jean venir pesamment à ma rencontre, sous les châtaigniers. Je l'attendis sans plaisir.

Il m'était sympathique pourtant ; mais il me répugnait de me commettre dans le village en compagnie de ces misérables : à la déchéance, à la perte, je ne voulais pas ajouter l'aveu. Jean, qui me rejoignait, n'était pas le pire d'entre eux : il était plutôt doux, et obstinément, sombrement fidèle à ceux qui lui montraient quelque égard. Il me dit qu'un camarade l'attendait à Saint-Rémy ; nous pourrions faire route ensemble et revenir de même, si je voulais bien au retour passer le chercher au café du village ; je n'osai refuser. Nous cheminâmes de conserve, lui silencieux, sa tête carrée enfoncée dans ses lourdes épaules, de temps en temps grommelant et serrant les poings, moi l'observant du coin de l'œil. Je connaissais la nature de sa colère : il venait de perdre sa mère, avec qui jusque-là il avait vécu vieux garçon, et avait greffé sur ce deuil une antique querelle paysanne ; il était à ses yeux avéré que des voisins de sa ferme, brouillés avec lui depuis toujours, déterraient nuitamment sa mère et s'en venaient jeter l'increvable cadavre dans son propre puits, l'enfouir sous son fumier, le verser en pâture dans les auges de sa porcherie ou, couvert de foin, l'allonger sous le mufle des vaches : il tressaillait jusqu'à l'aube de leur horrible travail nocturne qui faisait grincer des portes, aboyer des chiens, lever le vent ; aux lueurs roses du premier soleil, il trouvait partout la revenante, souillée, à demi dévorée, un coq sur sa tête ou du lierre vrillé mauvaisement à ses membres, une fourche dans la mâchoire ; il avait pris les gendarmes venus le quérir pour des fossoyeurs dévoyés, à la solde du vieil ennemi. Et, contre ces profanateurs fieffés, faux gendarmes et faux voisins, tous étranges croque-morts, tous sectateurs de la tombe, il levait en marchant son poing vers le ciel, invectivait sourdement les

193

arbres, l'espace irréprochable ; j'avais pitié et ne pouvais que railler en secret : je m'en étais pris de la sorte aux touristes, à la Loire, coupables assurément de m'empêcher d'écrire, à l'universel fauteur de page blanche, deux mois plus tôt dans Sancerre.

Je perdis du temps à rechercher dans le bureau de tabac les derniers titres lisibles parmi ces « Série noire » que j'avais déjà écumés ; quand je sortis, la nuit brusque d'hiver tombait, la première étoile brillait dans le ciel très pur. Un vertige orgueilleux me saisit, mon cœur déborda ; dans la surnaturelle absence céleste, la défection de la Grâce que j'avais si vainement réclamée me parut d'une insupportable candeur : m'échoir l'eût souillée. Marianne s'était retirée, plus rien ne me séparait de la douloureuse vacuité des cieux, un beau soir de gel : j'étais ce froid, cette clarté dévastée. Un enfant sale et sifflotant passa, jetant un regard narquois à ce grand demeuré littéraire qui béait aux corneilles ; la honte et le réel revinrent. J'aurais voulu toucher une femme et qu'elle me regardât, voir des fleurs blanches dans les champs d'été, être la pourpre et les verts dorés d'un tableau vénitien ; je marchai vite dans le village obscur, mes mauvais livres sous le bras. La lumière chiche de l'Hôtel des Touristes, le seul café du village, vacillait au fond de la place. J'entrai dans la salle triste aux tables de formica, au plancher livide lavé à grande eau ; nul exotisme ne sauvait la lourde odeur de fumier installée sur un juke-box blafard, un comptoir digne des pires banlieues et l'œil

194

d'une télévision au-dessus d'une patronne épaisse, éreintée. Les consommateurs boueux et taciturnes levèrent la tête ; Jean, l'œil allumé, était attablé avec l'abbé Bandy.

Entre eux, un litre de vin rouge, aux trois quarts vide ; le teint égal des crapuleux compères tachait malsainement leur visage fatigué ; je me doutai qu'ils n'étaient pas aux premières libations.

J'arrivai à leur table. Jean demanda : « Tu connais Pierrot. »

L'abbé sans répondre me tendit sa main vague. De nouveau, il me regardait : il ne faisait pas mine de me reconnaître ; pas mine non plus de ne jamais m'avoir vu. Simplement, et sciemment peut-être, il me méconnaissait ; quiconque désormais lui était arbre dans la forêt ou chaise de bar, fleur des champs, irresponsable objet devant son œil irresponsable : tous inutiles et nécessaires, figurants harassés mais cabotins encore d'une pièce trop jouée, nés de la terre et y retournant ; vous regardant, il contemplait ce parcours, et non pas ce que chacun, broutilles, en avait fait.

Acceptant mon regard pourtant, et quoiqu'il refusât d'y reconnaître un destin particulier, je veux croire qu'il y vit un instant, comme un vitrail qu'éveille un rayon, un jeune prêtre lumineux qu'un enfant ébloui regardait à travers des larmes, frappé de mots dansants, enchantés, héraldiques ; qu'il y vit le regard de tous ces gens pour qui il avait été et demeurait, pédant ou ivrogne, rhétoricien ou dérisoirement charitable, « monsieur le curé ». Son attention se détourna, revint au litre dont il servit Jean, lui-même ; le plomb recouvrit le vitrail. Le regard derechef s'enfouit dans sa neige : monsieur le curé était le petit Georges Bandy qui avait vieilli. « À la tienne », dit Jean, aigrement jovial. L'abbé but d'un trait, tenant le gros verre avec une ferme délicatesse, comme s'il était d'or.

Je ne m'étais pas assis, j'attendais dans la gêne, imposteur que ne daignait pas même démasquer un autre imposteur, ou un saint ; je pressais timidement Jean de me suivre : ne devions-nous pas être rentrés à l'heure du dîner ? D'ailleurs, le litre était vide, ils se levèrent. L'abbé s'en alla payer au comptoir : sur le mauvais blue-jean bouffant aux reins, il portait ses bottes terreuses comme un haut missionnaire des jodhpurs ; la taille demeurait opiniâtrement droite dans une de ces vestes de chasse en drap côtelé, avec des poches dans le dos et des boutons de métal frappés de cors en relief, que les paysans d'ici commandent à la Manufacture de Saint-Étienne ; à peine marchait-il avec la raideur des ivrognes pour qui tout est gouffre et qui, funambules, feignent de n'en rien voir. Jean, désignant furtivement l'abbé qui recevait sa monnaie de la morne patronne, fit une mimique rigolarde à la fois et admirative : je ne l'avais jamais vu aussi naturel, presque fier, tout deuil écarté. L'abbé impassible serra des mains à la ronde, nous précéda sur le seuil ; un ruissellement d'étoiles lui fit lever la tête : *Caeli enarrant gloriam Dei.* La bouche hautaine, où était éclose une cigarette virginienne, ne cita rien ; je songeai qu'elle en avait bien fini aussi d'embrasser les seins nus d'une

196

Marie-Georgette éperdue, ou de quelque autre Danaé de village ouverte à sa pluie d'or. Du verbe et du baiser, de la richesse orale jadis tant aimée, lui restait seul ce vestige tôt réduit en cendres, cette cigarette à grain blond et bout doré, à odeur de femme.

Il écrasa le mégot sous sa botte, nous salua. Sa mobylette était appuyée sur le mauvais crépi de la façade; il en saisit résolument le guidon, enjamba la machine et, la tête trop haute comme s'il regardait toujours les étoiles et refusait de déchoir sous cet œil aveugle et multiple, presque humain en somme, il pédala pour lancer le moteur; la pétrolette fit un maigre zigzag, il tomba. Jean eut un petit rire émerveillé. Les deux mains au sol l'abbé releva la tête : les étoiles, les pures et froides, les créées au Commencement, les conductrices de Mages, celles qui portent le nom des créatures, cygnes, scorpions et biches avec leurs faons, les peintes sur les voûtes parmi des fleurs naïves, les brodées sur les chasubles et celles que les enfants découpent dans du papier d'argent, les étoiles n'avaient pas vacillé; la chute d'un ivrogne n'entre pas dans leur infinie narration. Péniblement l'abbé se remit sur pied; il ne résista pas davantage au roulis de cette terre prise de vin : poussant son engin à ses côtés, il s'en alla d'un pas raide dans la nuit, dans cette ruelle de village au bout du monde. « La terre chancelle devant le Seigneur, comme un homme ivre » : il était le regard du Seigneur, il était l'émoi de la terre, et au bout de tant d'années peut-être, enfin, un homme. Il avait disparu, on entendit de nouveau dans le noir un bruit de ferraille ; sans doute avait-il raté une seconde tentative.

Sur le chemin du retour, nous marchions vite ; Jean, guilleret, parlait de sa maison natale ; tout spectre en était absent : allons, il n'y avait que les médecins pour croire à cette sombre histoire de croque-morts réactivant sans cesse une marâtre d'outre-tombe ; ils auraient fini par l'en persuader ; les morts étaient bien morts, il le lui avait dit, l'abbé, qui était bien placé pour le savoir. Il allait guérir, il serait chez lui pour la Saint-Jean d'été, et nous irions y manger le jambon, avec l'abbé, avec tous les amis, y boire longtemps dans la cuisine fraîche. Comme nous traversions la forêt, il se tut ; la lune s'était levée, dansait dans la futaie, suscitait çà et là le fantôme d'un bouleau ; sur les panneaux froids, les cerfs peints sautaient interminablement dans la nuit. Je pensai au centaure ensoutané qui bondissait jadis sur sa moto ; il n'avait d'yeux alors pour d'autres créatures que les gracieuses, les parfumées, toute chair acquise à son verbe ; puis, un jour que je ne connaissais pas, il avait perdu la foi dans les créatures, qui est peut-être celle de plaire aux belles créatures : nul n'eut davantage de foi que don Juan. Avec surprise alors, peut-être avec terreur, avec cet étonnement que lui causait un vol d'oiseau ou une épileptique, il avait appris qu'existaient d'autres créatures ; il avait su que l'âge nous fait chaque jour plus semblable à celles-ci, à un arbre ou à un fou ; quand il avait cessé d'être un beau prêtre, quand les rieuses s'étaient détournées du vieux curé, il avait appelé à lui les autres, les disgraciés, ceux qui n'ont plus de mots, bien peu d'âme et pas même de chair, et que la Grâce, dit-on, sait d'autant mieux atteindre, dans un écart prodigieux ; mais quelque effort qu'il eût fait, dans son orgueilleuse résolution, pour aimer ces âmes de peu et s'équivaloir désespérément à elles, je ne croyais pas qu'il y fût parvenu. Peut-être me trompais-je ; restait ce que mes yeux avaient vu : l'enfant terrible du diocèse, le théologien séduisant et roué, était devenu un paysan alcoolique confessant des cinglés.

Il ne s'était rien passé, sinon ce qui passe sur tous, l'âge, le vieux temps. Lui n'avait pas beaucoup changé — simplement, il avait changé de tactique ; il avait jadis en vain appelé la Grâce en montrant combien il était digne de la recevoir, beau comme elle et comme elle fatal ; mimétique avec passion, il faisait l'ange comme certains insectes se font brindilles pour surprendre leur proie : dans son nid de mots purs, il attendait le divin oisillon. Aujourd'hui, il ne croyait plus sans doute que la Grâce, docile et métonymique, atteignît un bel orant en remontant la chaîne de ses justes mots tressés jusqu'au ciel, mais qu'au contraire elle n'empruntait que le bond intense de la métaphore, la fulgurance railleuse de l'antiphrase : le Fils était mort sur la croix. Nanti de cette évidence, Bandy, nul et pochard, quasi muet, travaillait à s'abolir, il était le creux que comblerait un jour l'indicible Présence : les ivrognes croient volontiers que Dieu, ou l'Écrit, sont derrière le prochain comptoir.

Je questionnai le docteur C., sans lui rien dire du Bandy que j'avais connu. Il eut un sourire indulgent : l'abbé était un homme bien incapable, mais inoffensif ; puis, les malades l'aimaient bien, il était de même milieu et avait les mêmes tares, les mêmes qualités peut-être ; il était comme eux inculte, mais leur payait des paquets de gris ; il pouvait être thérapeutiquement intéressant d'encourager leur fréquentation. Je n'insistai pas, nous enfourchâmes Novalis. C. se souvint en riant que le toit de l'église, à Saint-Rémy, tombait en ruine, et que l'incurie de l'abbé laissait crouler : seuls quelques pensionnaires de l'hôpital, qui y trouvaient prétexte à sortie, se rendaient désormais à la messe dans l'église glaciale, inondée, où les oiseaux nichaient ; et, comme si la mention d'une église de campagne avait déclenché en lui un irrépressible mécanisme, il cita les premiers vers du poème d'Hölderlin où il est question du bleu adorable d'un clocher, et du cri bleu des hirondelles. Je songeai avec amertume que dans ce même poème, il est dit que l'homme peut imiter la Joie des Célestes, et « avec le divin se mesurer, non sans bonheur » ; je songeai avec joie qu'erronément, « mais poétiquement toujours, sur terre habite l'homme » ; et, avec tristesse, qu'en moi aussi, un abbé douloureux et un clocher déclenchaient des mécanismes, des citations, du vent : sous la bannière du Pathos, je chevauchais avec le docteur C.

J'approche du terme de cette histoire.

Au réfectoire, je déjeunais habituellement près d'une fenêtre, en face de Thomas. Je n'avais guère remarqué jusque-là que l'effacement obstiné, souriant, de ce petit bonhomme très contemplatif et candide; j'avais remarqué aussi qu'il était bien mis, mais comme le sont les petits employés qui veulent n'être pas aperçus ou, comme on dit, rester à leur place. Plein d'égards pour ses compagnons de table, il passait les plats avec une politesse point affectée ni hâtive, qui me plaisait; puis, et quoiqu'il ne parût pas tout à fait inculte, les délices ni l'affliction de la maladie mentale ne lui étaient prétextes à coqueter : nous avions échangé quelques mots sur la politique, la personnalité des médecins, les programmes de la télévision, des billevesées. Un jour, la fourchette arrêtée, le regard perdu, il regarda obstinément au-dehors, pendant d'interminables secondes; il n'y avait personne, au-dehors; le menton de Thomas tremblait, il était bouleversé. « Voyez, dit-il, comme ils souffrent. » Sa voix se brisa. Je regardai dans la même direction : sous une maigre bise d'hiver, des pins acides s'agitaient faiblement. Un merle. Quelques mésanges gyrovagues, d'un arbre à l'autre, et le grand ciel neutre. J'étais stupéfait : quel mystère me voulait-on indiquer là, que je ne voyais pas ? Les arbres, dit Saint-Pol-Roux, échangent leurs oiseaux comme des paroles; cette métaphore complaisante me vint à l'esprit, avec une navrante envie de rire : j'aurais pu, tapant sur mon assiette, chanter à mon tour cette souffrance, à tue-tête, cette souffrance — de qui ? Je me croyais dans un roman de Gombrowicz ; mais non : j'étais chez les fous, et nous respections les règles du genre.

Thomas s'apaisa aussi soudainement qu'il s'était exalté. Il mangea, sans un mot ni un regard pour la souffrance diffuse dont il venait de frapper ce coin d'hiver. Cette terre gâtée, je ne pouvais, moi, en détacher mes yeux ; quelque chose était passé là, les arbres n'avaient plus de nom, plus de nom les oiseaux, la confusion des espèces me stupéfiait : ainsi un animal qui recevrait la parole, ou un homme qui la perd avec la raison, doivent-ils apercevoir le monde. Jojo, délié de son auge et plus inassouvi que jamais après son simulacre de repas gâché, passa dans ce désert, et rétablit l'équilibre ; ses pauvres bras ramèrent un instant dans mon champ visuel ; des moineaux, à son approche tonnante, jaillirent d'un sorbier ; ses poings gourds, une fois encore, boxèrent dans le ring universel : des arbres frappés au hasard de sa marche, des gerbes d'eau l'inondaient. « Le Dieu, me dis-je, du Miroir Fumant, qui est bot et a deux portes battant à grand bruit sur la poitrine. » Le dieu barbare chancela au coin d'une terre labourée, disparut sous un bois ; j'étais soulagé, mon envie de rire avait disparu, je mangeai : Jojo allait sur deux pieds, on pouvait en faire un dieu, c'était bien un homme.

J'aimais les infirmiers, bougres optimistes, avec qui je jouais à la belote ; j'appris d'eux quelle était la passion de Thomas. Il était pyromane, et s'en prenait aux arbres ; souvent, en pleine sécheresse, il fallait à mes bougres courir çà et là dans le parc avec des extincteurs. Ils prenaient d'ailleurs la chose avec philosophie ; c'était des gens gais que rien n'étonnait plus, et dans leurs rires, je crois, réellement charitables ; les entrelacs de tant de paroles délirantes, infiniment relatives, les avait épurés, au contraire des médecins qui s'arrogeaient un droit de regard statutaire sur ces paroles ; et ils étaient aux psychiatres ce que serait un film des Marx Brothers aux pages culturelles d'un hebdomadaire : pas sérieux, méchants et secourables, touchant l'essentiel. Je ris avec eux des déboires de Thomas, frère Marx aux allumettes se glissant dans la nuit, les mains moites comme un amoureux ou un assassin, et que poursuivaient dans un parc, l'été, ses compères morts de rire sous leur lance à eau. Mais nous savions bien que ce n'était pas si simple : Thomas peut-être avait infiniment pitié, de tous et de tout ; quand sa pitié l'étouffait, qu'aucune larme ni angoisse n'en pouvait plus rendre compte, il s'en libérait en passant, le temps d'un flamboyant simulacre, dans le camp des bourreaux. Je l'imaginais, face à l'exorcisme pétillant, tendant ses narines à l'odeur du sapin rouge comme un dieu hume un sacrifice, le visage de petit employé avec violence éclairé dans toute la gloire d'un Porteur de Foudre ; il était le lapin que fascine un phare, il était le lampadophore qui l'assomme, et affolé entre ces deux rôles interchangeables, terrifié qu'ils le fussent, il tremblait quand les bougres le ramenaient à sa chambre, blagueurs et maternels. Pour le reste oui, il avait pitié ; ce monde privé de grâce depuis l'origine des espèces mortelles, sans doute l'eût-il voulu apaisé, hors mélodrame, disparu ; tout le créé était à ses yeux pitoyable : la Nature Naturée avait raté son coup. C'était sa façon à lui de considérer les lis des champs.

Un dimanche de janvier, l'aube vive dans ma vitre me fit me lever tôt ; sous le même soleil levant, schizos et simulateurs, et tous ceux qui étaient l'un et l'autre, se croisaient dans le réfectoire avec leur bol fumant, et assis, y portaient longuement leur bouche, accablés par le vide du jour ; beaucoup étaient endimanchés. Thomas était de ceux-ci. En plaisantant, il me pressa de l'accompagner à la messe. J'éludai : je n'y avais pas assisté depuis des années ; j'étais et suis toujours un athée mal convaincu ; d'ailleurs je m'y ennuierais. Je taisais ma réticence essentielle : la honte de me rendre au village en compagnie de la horde débridée. Alors lui, m'ayant compris et me regardant bien en face, avec une douloureuse modestie : « Vous pouvez bien venir : il n'y a que nous, à la messe. » Nous, les folâtres et les imposteurs, les tire-au-flanc de tout acabit. Je rougis, allai me changer et rejoignis Thomas.

Nous fîmes le beau chemin, encadrés par un infirmier comme une chiourme par son garde : ils étaient nombreux, tous ces possédés et ces hérésiarques, traînant leur boulet et coiffés de la mitre jaune, à cheminer vers la Vraie Croix. Au-devant, quelques profonds crétins marchaient plus vite, trop vite comme ils le font tous dans leur empressement à atteindre un but toujours dérobé; leurs haleines dansantes fuyaient, ils disparaissaient derrière un tournant, leur jacassement s'estompait dans un bois, s'accordait au pépiement des créatures plus pur dans le gel; puis des fuites d'oiseaux, et de nouveau la harde clopinante, ses sottes invectives, ses rires et ses mots surprenants, quand l'infirmier essoufflé la rabattait vers nous. En queue du piteux cortège, je marchais entre Jean et Thomas : entre un sectateur farfelu de l'éternelle résurrection de la Mère et un sombre cathare imputant le ratage de la création à quelque grandpapa Sabbaoth ivre mort, moi, quémandeur de Grâce diffuse, fils perpétuel dans la toute-absence du père et la fuite des femmes, j'allais célébrer l'éternel retour du Fils dans le sein du Père et son éternelle diffusion sanglante dans le sein des créatures. Soit, en des temps moins cléments, un joli trio pour le bûcher. Tout cela sous le rire frêle, d'argent froid, d'un soleil de janvier.

Nous approchions; les toits miroitèrent, le village dans son vallon nous apparut; dans l'espace accru, la petite cloche sonnait. Le docteur C. et Thomas avaient dit vrai : la volée allègre et triste ne conviait personne à la tristesse du sacrifice, à l'allégresse des renaissances; personne sur la place, ni sur les marches de l'église; de toute l'étendue bleue qu'elle émouvait en vain, la cloche de Saint-Rémy n'appelait chaque dimanche matin d'autres ouailles que ce troupeau vague qui, s'entre-heurtant, butant sur chaque pierre et sur chaque mot, descendait lourdement les ruelles, fai-

sait retentir la place de ses galops frivoles, s'engouffrait sous le porche en larmoyant. Le bronze
creux, le bronze radieux et hautain, sonna jusqu'à
ce que nous passions la porte : sous le clocher,
l'abbé en chasuble ordinaire volait avec la corde,
affairé, sérieux, dansant.

Nous nous installâmes bruyamment ; la cloche
eut quelques sursauts encore, se tut. Pour nous
seuls l'abbé avait posément dansé avec sa corde et,
ayant assigné cette voix divine à nous saluer,
l'apaisait ; il était imprudent d'ailleurs de sou-
mettre à ce branle profond la nef, considérablement endommagée : la très simple charpente était
dénudée au-dessus du chœur, où la lumière d'en
haut ruisselait ; une poutre noire baignait dans les
cieux candides ; une chute de plâtras avait obstrué
la porte de la sacristie ; et derrière l'autel, une
vaste lézarde s'ouvrait sur le bleu touchant du ciel.
Les saints de plâtre avaient été encapuchonnés
pour traverser l'humidité des nuits qui régnait
sous les voûtes comme dans une forêt ; l'autel était
recouvert d'une bâche épaisse en toile de tente
d'un vieux vert. Toujours sérieusement, posément,
l'abbé décoiffa quelques saints, saint Roch le gué-
risseur en braies et blouse de bure, qui montre sur
sa cuisse la plaie charbonneuse partagée avec les
bœufs, les brebis, saint Rémi l'évêque, l'érudit
confesseur des vieux Carolingiens, d'autres ; il eut
un sourire peut-être modeste, plein d'humour
insondable, en branchant un vain calorifère dans
ce vaisseau ouvert à tous les vents. Enfin il saisit
un coin de la bâche, eut un regard vers l'assis-

tance, et Jean, répondant peut-être à un rite renouvelé chaque dimanche, se précipita, prit l'autre bout, et ils la déroulèrent : ainsi Moïse appelait-il, à la halte, le plus niais chamelier des tribus d'Israël et, un instant complices, ils installaient ensemble la tente de l'arche. Dans ce désert, le tabernacle apparut. Bandy gravit les marches et commença.

Comme bien des années plus tôt, je ne pus qu'amèrement m'extasier ; j'étais stupéfait, j'étais rassuré. Tout sombrait, mais le naufrage était d'une intraitable décence : l'emphase souveraine du geste et du verbe était souverainement retombée, la médiocrité de la diction était parfaite, la langue exténuée n'atteignait rien ni personne ; les mots exsangues s'étouffaient dans les gravats, fuyaient dans les lézardes ; comme Démosthène et pour des effets inverses, Bandy s'était en quelque façon empli la bouche de cailloux. La messe, il est vrai, était dite en français, conformément à la liturgie réformée du Concile ; mais je savais bien que Bandy jadis eût fait en sorte que sa propre langue, passée au crible d'une diction tourbillonnante et fatale, résonnât comme de l'hébreu ; aujourd'hui, il en faisait un idiome insuffisant, limpide et machinal, pas même patois, la vaine et monotone crue explétive d'un Être introuvable, une interminable formule de politesse laminée par des siècles d'usure : il célébrait la messe comme dans une salle vide un disque rayé tourne, comme un maître d'hôtel demande si on a bien dîné.

Tout cela sans affectation et sans ironie, sans

simulacre d'humilité ni onction, avec une furieuse modestie. Le masque était parfait, et pathétique l'effort pour n'avoir d'autre visage que ce masque : la chasuble l'endimanchait, il ne savait que faire de l'étole, il baisait la nappe de l'autel avec la gauche retenue d'un garçon d'honneur paysan qui embrasse, fardée et décolletée, une mariée de la ville ; les saints énumérés au Confiteor semblaient de plâtre peint, la Vierge était la Bonne Dame qu'avait révérée ma grand-mère ; les allusions aux trois personnes de la Trinité, à leur obscur commerce dans une ronde étrange, étaient dites trop vite et avec une sorte de gêne, comme une formalité incompréhensible dont il s'excusait d'avoir à fatiguer l'assistance. Dans cette nef éventrée et pour le public qu'on sait, s'épuisait à se susciter un paysan laborieux froqué par hasard, un écorcheur de mots conscient de l'être et tant bien que mal y remédiant, tout juste capable, à force d'habitude et de persévérance, de dire une messe correcte.

Les crétins ne tenaient pas en place — et pourtant, curieusement, à leur manière ils assistaient. Ils s'intéressaient à quelque chose, là-bas, vers Bandy : cette messe infiniment relative ne les effarouchait pas davantage qu'un vol de sauterelles dans les champs, le murmure indéfini des arbres, des mouches autour d'un fruit blet ; ils s'approchaient précautionneusement du chœur, crochetaient à la grille basse leurs mains floues et rapaces, tendaient le cou pour mieux voir frémir les élytres, entendre le vent ébruiter les feuilles ; l'un d'eux s'enhardit jusqu'à toucher du bout des doigts la chasuble craquante. Il revint en courant, riant sous cape, intimidé de son audace mais fier de l'exploit; l'infirmier rigolard le tança à voix haute : le misérable eut le rire rengorgé du mauvais sujet qui est aussi le premier de la classe.

L'abbé imperturbable bénissait ces créatures apparaissantes, invaincues, despotiques, dans la faillite du verbe.

Posément il vint vers nous, son œil de neige nous effleura, il commença son prêche. C'était la messe de l'épiphanie, qui commémore depuis toujours l'adoration des Mages; je me souvins d'autres sermons où la parole de Bandy, triplement royale et suivant une étoile, avait joué de l'errance des Rois caravaniers et de la lucidité des cieux nocturnes qui les tire sur les chemins, de la présomption de ces porteurs de myrrhe asservis par l'arrogance divine du Verbe fait enfant. Il ne parla pas des Mages : la reddition des Rois à la Parole incarnée ne le concernait plus, lui dont la parole d'or n'avait pas fléchi le muet, l'impassible Dispensateur de toute parole. Il parla de l'hiver, des choses dans le givre, du froid dans son église et sur les chemins; le matin, il avait ramassé dans l'abside un oiseau gelé; et, comme l'eût fait une vieille fille ou un retraité sentimental, il s'apitoya sur les moineaux que le gel foudroie, sur les vieux sangliers que la faim dévore, épouvantés et grognant douloureusement dans la neige, le beau sucre blanc qui affame; il parla de l'errance des créatures qui n'ont pas d'étoile, du vol obtus des corbeaux et de l'éternelle fuite en avant des lièvres, des araignées

qui pèlerinent sans fin dans les fénières, la nuit. La
Providence fut mentionnée pour mémoire, peut-
être par antiphrase. Tout style avait disparu ; le
sermon parfaitement atone était délesté de tout
nom propre ; plus de David, plus de Tobie, plus de
fabuleux Melchior ; des phrases sans période et des
mots profanes, la pudeur un peu niaise des poncifs, du sens dévoilé, de l'écriture blanche. Comme
un Grand Auteur qui aurait jadis en vain fait danser ses lecteurs « sur la poêle à frire de sa langue »
sans rallier à travers eux les suffrages du Grand
Lecteur d'en haut, il allait désormais aux plus
déshérités, ceux que toute lecture effarouche, avec
des mots de tous les jours et des thèmes de chansonnette ; Dieu n'était pas forcément un Lecteur
Difficile : son écoute pouvait se modeler sur la
vague oreille d'un crétin. Peut-être l'abbé eût-il
voulu, comme François d'Assise, parler pour les
seuls oiseaux, les loups ; car si ces êtres sans langage l'eussent compris, alors il en eût été sûr :
c'eût été que la Grâce le touchait.

Corbeaux et sangliers émurent les idiots : ils
s'esclaffaient, s'emparaient au hasard d'un mot de
l'abbé, le relançaient sur divers tons ; l'infirmier
les engueulait ; dans ce tohu-bohu, quelques schizos impavides se recueillaient comme toujours,
ensevelis dans leurs attributs angéliques, l'absence
et l'énigme. À mes côtés, le visage cruellement
ravi, Thomas regardait le coin de ciel accroché à la
poutre noire : l'ange d'une Adoration de Dürer y
fondait de loin sur lui, ou les larves abjectes d'une
Tentation, avec le vol ébouriffé des moineaux. Sur

tout cela quelque chose de vaguement honteux, inavouable, proche du pire. L'abbé reprit sa messe; il consacra le pain, le Fils apparut, les cinglés s'agitèrent; la porte de l'église s'ouvrit avec fracas : sur le seuil, le souffle lourd, un dieu aztèque contemplait le Vrai Corps.

L'infirmier se précipita, évacua sans ménagement le gueux; hors de lui mais épouvanté, Jojo emmené gémissait sournoisement comme un chien qu'on bat. L'abbé s'était retourné : il souriait.

À la fin de l'août étouffant de 1976, j'étais de passage dans la petite ville de G., en quête de livres; nulle Grâce ne m'était venue et, fiévreusement, je compulsais en vain toutes Écritures pour en trouver la recette. Je rencontrai un infirmier de La Ceylette; il me parla de ceux que j'y avais connus : Jojo était mort, et morte Lucette Scudéry; Jean était vraisemblablement embastillé à vie; Thomas, qu'on rendait de temps en temps à la vie civile, répondait ponctuellement à l'appel des arbres, les délivrait par le feu, et se retrouvait de nouveau cloîtré. « Et l'abbé ? » L'infirmier rit sans gaieté; il me raconta ceci, qui datait de la semaine précédente :

Le samedi, Bandy avait bu avec des ouvriers agricoles qui venaient de battre le blé; l'Hôtel des Touristes fermé, les libations s'étaient poursuivies au presbytère; les compagnons très ivres s'étaient séparés à la pointe du jour, à grand bruit dans Saint-Rémy. Le dimanche matin, le cortège habi-

tuel partit de la La Ceylette ; au plus profond de la
futaie du Puy des Trois-Cornes, les pensionnaires
reconnurent, appuyée contre le panneau routier où
bondit une figure encornée, la mobylette de l'abbé.
Jean s'élança dans le bois, l'infirmier sur ses
talons ; à l'orée d'une clairière proche, recouvert de
l'ombre ecclésiale d'un hêtre contre lequel il semblait assis, écroulé dans l'épine blanche et le lierre
froissé, étreignant des fougères, sa chemise de gros
coton bleu ouverte sur sa poitrine d'ivoire, l'abbé,
les yeux grands ouverts, les regardait : il était
mort.

Dans le jour naissant, net sur le ciel glorieux et
léger comme un chant d'ivrogne, le Puy feuillu l'a
appelé. Il est entré dans la forêt ; ses pieds bottés ont
fait lever des odeurs, l'ombre verte a touché son
front ; il fumait ; le vin bu le berçait, les tendres
feuilles le caressaient ; il a prononcé avec étonnement quelques syllabes que nous ne connaissons
pas. Quelque chose lui a répondu, qui ressemblait à
l'éternité, dans le verbiage fortuit d'un oiseau.
L'ébrouement soudain d'un cerf proche ne l'a pas
surpris ; il a vu une laie venir vers lui avec douceur ;
les chants si raisonnables se sont accrus avec le jour,
ces chants qu'il entendait. L'éclaircie de l'horizon a
dévoilé un sous-bois de huppes, de geais, des plu-
mages ocrés et roses comme des fleurs, des becs
attentifs et des yeux ronds pleins d'esprit. Il a
caressé des petits serpents très doux ; il parlait toujours. Le mégot brûlait son doigt ; il a pris sa dernière bouffée. Le premier soleil l'a frappé, il a
chancelé, s'est retenu à des robes fauves, des poi-

gnées de menthe ; il s'est souvenu de chairs de femmes, de regards d'enfants, du délire des innocents : tout cela parlait dans le chant des oiseaux ; il est tombé à genoux dans la bouleversante signifiance du Verbe universel. Il a relevé la tête, a remercié Quelqu'un, tout a pris sens, il est retombé mort.

Ou bien c'était à la fausse aurore, quand les coqs éberlués chantent une fois, s'étonnent dans l'isolement de leur cri, se rendorment ; combien noire encore est la nuit. Midi est loin : hiéroglyphe accompli et forme consommée, sa vie irrévocable le parant, l'abbé Bandy se tait et dort dans l'immense chasuble verte des forêts où les grands cerfs fictifs passent, lents, une croix entre leurs dix-cors.

Vie de Claudette

À Paris, où j'allais mendier du ciel une seconde chance en laquelle je ne croyais pas, l'absence de Marianne acheva de pourrir en moi. J'y passai deux années vociférantes, nulles, en rêve : j'implorais haut des secours pour avoir loisir de les mieux refuser ; je décuplais ma détresse en torturant les quelques âmes secourables ou chétives qu'avait émues ma surenchère d'appels. Je déménageais à la traîne de ces pauvres filles, dans l'indifférence, la fureur : rue Vaneau, je cassais des portes la nuit, et tremblais les lendemains, devant la concierge ; rue du Dragon, recruté par de pointilleuses loques à mon aune, je fus promu haschischin et dormais sous un évier ; à Montrouge, je m'absentai tout un hiver : la très jeune fille qu'alors je martyrisais courait Paris, des ordonnances médicales truquées plein les poches, et me ramenait des barbituriques par hottées ; ses yeux très verts et cléments me regardaient, sa main d'enfant me tendait gentiment cette provende obscure, tout vacillait, ma veille était du sommeil ; ma main tremblait si fort que les innombrables pages écrites en ce coma sont miséricordieusement illisibles : le Ciel fait bien ce qu'il fait. Une fois, je vis un lilas en fleur par la fenêtre, et c'était le printemps. J'ignore le nom de la banlieue chic d'où une nuit, l'hiver, je m'enfuis ou fus chassé d'un atelier sous les combles d'un pavillon modern'style : des stucs ricanaient dans les buis froids, des faunes, des gueules ouvertes sous la lune ; j'insultais quelqu'un ; mes mains écorchées cherchaient des grilles, des blessures, des issues. La marche ni le gel ne me dégrisèrent : ruines de ma conscience alors dévastée et du souvenir qui aujourd'hui s'éclipse, je revois l'eau de plomb du canal Saint-Martin, un sinistre bistrot de la Bastille, et sous les néons *a giorno* la défection de visages promis à la nuit. Les grands trains besogneux sur les poutrelles tremblantes firent se lever l'aube ; un peuple de spectres accablés et très doux arrivait des banlieues, le jour sur ses talons : j'étais quai d'Austerlitz, je ne partais pas.

J'échappai pourtant, sauvé des fastes de la capitale par un aveuglement de femme, qui me prit pour un auteur ; l'affaire se conclut en une nuit, dans un bar de Montparnasse où un loufiat goguenard me versait des vins blancs dans un verre à demi : je poussai la complaisance jusqu'aux larmes. La belle m'écoutait en buvant des limonades ; elle me trouva aimable, elle m'emporta. Elle était blonde joliment, sans malveillance, dévote en psychanalyse.

Claudette était normande, j'allais donc en Normandie : les seules lois d'une exogamie fantaisiste sont assez fortes pour me faire changer de place. À Caen, on m'installa au premier étage d'un pavillon de fonction, parmi les livres et les arbres d'un parc agités aux fenêtres, gros de pluie atlantique. L'un d'eux, un chêne évidemment, quoique soumis à la commune averse, était plus disert que les autres ; il avait un passé, ce qui est une manière d'avoir nom et langage : à son pied, me dit Claudette, Charlotte Corday avait jadis fait vœu de tuer le tueur de rois avant de s'éloigner en petit fichu dans l'aube mouillée d'Auge, vers la mort d'un autre et la sienne, le couperet et le salut. J'attirai Claudette, l'embrassai, lui touchai la gorge ; j'imaginais ce faisant Charlotte, démente et raisonneuse, son mince paquet de voyage noué en mouchoir, obtuse, entretenant l'obtuse écorce d'histoires décousues de reines profanées, de massacres en septembre, de poignard et de mandat divin : comme un auteur, pensais-je, qui ne sait de quoi il parle ni pour qui, mais s'autorise de la profération de mots creux pour réclamer des cieux un statut unique, et dans la mort désastreuse, l'assomption d'un nom mémorable. L'arbre aveugle ruisselait.

En dépit de cet illustre modèle et de son public feuillu, je n'écrivis rien. Je sortais du long rêve des barbituriques, ayant dès le premier jour détruit les ordonnances, par défi peut-être et goût du geste, ou, plus platement, pour me conformer au risible fantasme de la seconde naissance ; et la sollicitude de Claudette évitait que mes yeux rencontrassent des bouteilles. Mais je rêvais que j'écrivais : m'aidaient en cette fiction des festins d'amphétamines, auxquelles m'avait sans mal converti une amie moins sage de Claudette.

Au prisme aigu de cette drogue froide, Caen me fut un désert : j'étais lumineux, j'étais tendu, des tensions lumineuses à mon approche déchiraient l'espace massifié autour d'angles durs ; nuances et profondeur m'échappaient, et m'échappait le miraculeux repos des ombres progressives, les bleues et les brunes et celles où les bleus d'or peu à peu se défont, l'humble révolte et le dernier refuge des choses face à la lucidité intraitable des cieux ; des cubes hargneux de vieux maîtres siennois hachaient la ville, ses horizons et ses climats, et dans ce gel l'air impalpable se prenait en grands polyèdres froids : je jubilais sur cette banquise, avec une main transie autour du cœur, des yeux de verre net et une intelligence livide de damné du dernier cercle. En vain les doux clochers de Caen, chers à Proust dans leurs boqueteaux humides et leur nimbe d'air pluvieux, me faisaient-ils signe ; seule la verticalité batailleuse de l'Abbaye aux Hommes affrontant les cieux violents trouvait un écho dans mon esprit : mon esprit tout entier crispé dans un poing de neige, comme une façade éblouissante que heurte, invariable et n'espérant nul éteignoir de nuit, un rayon dur de soleil pétrifié.

Sur cette façade j'écrivais, en rêve.

Je m'installais dès les premières heures à ma table de travail, sous l'œil chaque jour plus dubitatif de Claudette ; j'avais auparavant disparu quelques secondes dans les cabinets pour ingurgiter une triple ou quadruple dose, et la jolie blonde n'était pas dupe de ce jeu de cache-cache d'où je revenais l'œil rieur et les mains dures, honteux peut-être mais éclatant de vilaine gaieté. Douloureuse, elle partait enfin vers son cabinet, où l'attendaient cas sociaux et débiles qu'elle entourait d'une sollicitude peut-être décroissante depuis qu'elle cachait en ses murs un cas majuscule, peu décoratif et indécrottable ; je ricanais. Qu'avais-je à faire de ces sottises, moi qu'un peu de poudre blanche consacrait quotidiennement Grand Auteur ? Une matinée exaltée, inféconde et funèbre, mais je le répète, gaie, commençait ; j'étais flamme et feu froid, j'étais glace qu'on brise et dont les beaux éclats, si variés, étincellent ; des phrases trop pressées, profuses et guillerettes sinistrement, traversaient sans trêve mon esprit, en un instant variaient, s'enrichissaient de leur volatilité, et fleurissaient à mes lèvres qui les jetaient dans l'espace triomphal de la chambre ; nul thème ni structure, nulle pensée n'entravait leur prodigieux babil ; cachée dans tous les coins, tendrement penchée sur moi et buvant à mes lèvres, une grande Mère éblouie, bienveillante et tout oreille, accueillait le moindre de mes mots comme de l'or trébuchant ; et or, mon moindre mot sonnait à mes oreilles, se décuplait en mon esprit, or second ressortait par ma bouche : avare, je n'en confiais pas une once au papier. Comme j'allais bien écrire ! me disais-je pourtant ; ne suffisait-il pas que ma plume maîtrisât le centième de cette fabuleuse matière ? Hélas, elle n'était telle que parce qu'elle n'avait ni ne tolérait de maître, fût-ce ma propre main. L'eussé-je écrite qu'elle n'eût laissé sur la page que cendres, comme une bûche après la flambée ou une femme au sortir du plaisir. Allons, j'allais tout de même écrire, tout à l'heure ; rien ne pressait. À cinq heures de l'après-midi, je claquais des dents. Avec l'épuisement de l'artifice qui l'avait suscité, mon œil solaire s'éclipsait sous une nuit grise enténébrant l'univers : je regardais sur la table une pile de papier blanc intouché ; nul écho dans la chambre muette ne célébrait la mémoire de l'œuvre impotente une fois encore proférée, éludée. Ainsi passait le temps : l'arbre historique par la fenêtre se parait chaque jour de feuilles plus jaseuses qui ne devaient rien à la loquacité d'une femme jadis inspirée, morte.

Les amphétamines me brisaient ; mais je pense aujourd'hui, avec un serrement de cœur et un regret comme de femme jadis mienne et que je n'aurai plus, que je leur dois les instants du bonheur le plus pur, et en quelque sorte littéraire. En ayant pris, j'étais impeccablement seul ; j'étais roi d'un peuple de mots, leur esclave et leur pair ; j'étais présent ; le monde s'absentait, les vols noirs du concept recouvraient tout ; alors, sur ces ruines de mica radieuses de mille soleils, mon écriture postiche, virtuelle et souveraine, spectrale mais seule survivante, planait et plongeait, déroulant une interminable bandelette dont j'emmaillotais le cadavre du monde. Moi, sur ce tombeau dont inlassablement je déclamais l'épitaphe, seule bouche dévidant l'infini phylactère, je triomphais : je passais du côté du maître, du côté du manche, du côté de la mort. Ce bonheur ne devait rien à la

force de l'âme, mais il était peut-être, superlativement, bonheur d'homme ; comme la jubilation des
bêtes vient qu'elles ne diffèrent pas de la nature
dont elles participent, la mienne venait d'exactement coïncider avec ce qui, dit-on, est pour
l'homme nature : des mots et du temps, des mots
jetés en vaine pâture au temps, n'importe quels
mots, les faussaires et les véridiques, les bien sen-
tis et les insensibles, l'or et le plomb, précipités
avec perte et fracas dans le courant toujours
intègre, insatiable, béant et calme.

J'attendais de Claudette qu'elle me pourvût en
poison ; elle s'y refusa. Je lui faisais l'amour sans
égards, brusquement : j'eusse voulu sa chair aussi
labile et asservie que me l'étaient les mots ; mais
non, elle était bien du monde, elle existait sans
moi, elle voulait et résistait, et je m'en vengeais en
lui donnant du plaisir : de ses cris au moins je me
croyais la cause, ils étaient des mots à quoi je la
contraignais. En dépit de mes vagues dénégations
et de mes simulacres matinaux, elle savait bien
que je n'écrivais pas : l'auteur fanfaron de Montparnasse était cette loque exaltée, ce maniaque
attablé devant des feuilles vierges ; puis, j'avais
repoussé avec des sarcasmes indignés les besognes
professionnelles que ses relations lui permettaient
de me proposer ; elle me nourrissait ; elle désespé-
rait, mon rire ayant frappé de ridicule les pauvres
passions de bibliothèque rose, ou que ma présomption croyait telles, qui lui donnaient d'elle-
même une image point trop dérisoire : le tennis, le
piano, la psychanalyse et les charters.

Elle avait de la noblesse pourtant. Je me souviens de son regard, un jour d'hiver, au bord de la mer ; elle commençait à déchanter déjà mais n'avait pas perdu tout espoir : je n'étais pas auteur certes, j'étais paresseux et un peu menteur ; eh bien, elle s'en accommoderait, elle ferait de son mieux, mais que de grâce, je lui fasse merci et daigne qu'elle vive en ce monde comme elle permettait que je vive hors de lui : tout cela, son regard sur moi le disait, sans insistance ni larmes, avec dignité, avec de l'amour. Elle avait un petit bonnet de laine tricotée, des bottes de caoutchouc jaunes, enfantines et gaies sur le sable morne ; le froid la rosissait, le cri brusque des mouettes ajoutait à sa mélancolie ; mes yeux la quittèrent, firent le tour de l'immense horizon des plages que l'hiver vouait à la violence neutre, à la plainte, à l'hébétude de toujours ; je vis une Volkswagen blanche arrêtée là-bas dans les dunes, un ciel intense, gris de fer avec des touches emportées de gouache céruse, et la grande reptation marine irritée, gonflée, sans fin besogneuse : le monde, et point si futile qu'inaliénable. Et Claudette là-dessous, toute petite sur le sable avec ses souliers jaunes, pleine de bonne volonté, qui s'arrête un peu dans ma mémoire, courageusement marche dans ce vert et ce gris qui l'effacent, quelques pas de plus, un peu de jaune encore, les embruns l'emportent, elle disparaît.

Je l'ai déçue, Claudette, et c'est peu dire ; le dernier sentiment qu'elle eut pour moi, le dernier regard qu'elle me porta, fut de répulsion peut-être, de peur et de pitié mêlées. Elle a fui ce qui la dépossédait, et s'est peut-être retrouvée elle-même dans le cours des choses. Elle aura épousé quelque universitaire, sportif et bel esprit, à pensée marginale ou devenir de notable ; elle court sur le vert des links, en jupe de tennis gambade de l'ombre à la lumière, le joli bruit de la balle vient à point, ses cuisses tendres s'arrêtent, repartent, à sa taille le tendre tissu danse ; elle aura terminé sa thèse et rosi des éloges du jury ; elle rit sous une petite voile dans la mer gaie, des mains l'étreignant lui font le souffle court, le monde inépuisable est fait de distances kilométriques, de hautes mosquées et de flores exultantes penchées sur des plages infinies, d'horaires de vol et d'hommes empressés, promenant leur grand nom et leur tenue du soir dans des jardins d'été, volontaires et sereins comme des statues, glorieux comme des patriarches, ardents comme des jouvenceaux, et qui lui font la cour. Son analyse interminable est grosse de rebonds imprévus qui lui font une vie à défaut de lui faire une autre vie ; des disparitions l'accablent, des fuites, le bonheur ne vient pas ; ou bien peut-être elle est morte et eût mérité une plus vaste Vie Minuscule. Qu'elle ne se souvienne pas de moi.

Je quittai Caen dans des circonstances honteuses. À la gare où Claudette me laissa, nous étions l'un et l'autre accablés, les mains fuyantes, peureusement installés dans ce qui est sans recours. Je me souvins qu'elle m'avait attendu ici même une nuit, en robe longue et fardée, offerte à la dure convoitise des cheminots, au troupeau harassé d'hommes à l'œil brutal, aux mains avides et noires, défaits par des travaux lointains et qu'insulte en retour, beauté fraîche parmi les billets froissés et les troupiers ivres, le luxe d'une femme décolletée. J'étais rendu à ce troupeau, je ne déferais plus son linge; elle s'enfuit; le soir de fin d'été courait sur les rails éclatants, les trains brûlants rutilaient. J'hésitai vaguement entre plusieurs destinations; un sort farceur ou blasé jeta les dés, je montai dans un wagon, les aiguillages firent le reste : je gagnai Auxanges.

J'y rencontrai Laurette de Luy.

Vie de la petite morte

Il faut en finir. Nous sommes en hiver; il est midi; le ciel vient de se couvrir uniformément de bas nuages noirs; tout près, un chien pousse à intervalles réguliers ce cri lent, très sournois et comme de conque marine, qui fait dire qu'il hurle à la mort; il va peut-être neiger. Je songe aux gais jappements des mêmes chiens, les soirs d'été, lorsqu'ils ramenaient les troupeaux dans des flaques de clarté; j'étais enfant, la lumière l'était aussi. Je m'épuise en vain peut-être : je ne saurai pas ce qui s'enfuit et se creusa en moi. Imaginons encore une fois qu'il en fut comme je vais le dire.

Dans mes souvenirs de petite enfance, je suis souvent malade. Ma mère me prenait auprès d'elle dans sa chambre; on me veillait dévotement; d'irréels cris d'enfants montaient de la cour de récréation, tournoyaient et disparaissaient dans des vols d'hirondelles; on jetait des bûches dans la cheminée, tout pétillait; ou alors tout s'éteignait et dans le dernier rougeoiement apparaissaient des fantômes d'abord théâtraux et discernables avec lesquels on pouvait jouer, puis si épais qu'on hésitait à les nommer, jusqu'à ce qu'ils fussent anonymes et uns comme le noir juché sur un enfant. Le jour revenait, et une nouvelle flambée naissait des jupes noires d'Élise courbée qui la manigançait en soufflant sur la cendre, puis me souriait doucement dans la clarté venue. J'espère que je lui ai souri, moi aussi. Elle me laissait; alors je découvrais tout; je découvrais l'espace par la fenêtre, le poids du ciel au loin sur la route vers Ceyroux, le grand ciel pesant pareillement sur Ceyroux que je ne voyais pas, et qui pourtant à cette heure maintenait opiniâtrement son vouloir infime de toits et de vivants derrière l'horizon ténébreux des forêts. Je convoquais des lieux invisibles et nommés. Je découvrais les livres, où l'on peut s'ensevelir aussi bien que sous les jupes triomphales du ciel. J'apprenais que le ciel et les livres font mal et séduisent. Loin des jeux serviles, je découvrais qu'on peut ne pas mimer le monde, n'y intervenir point, du coin de l'œil le regarder se faire et défaire, et dans une douleur réversible en plaisir, s'extasier de ne participer pas : à l'intersection de l'espace et des livres, naissait un corps immobile qui était encore moi et qui tremblait sans fin dans l'impossible vœu d'ajuster ce qu'on lit au vertige du visible. Les choses du passé sont vertigineuses comme l'espace, et leur trace dans la mémoire est déficiente comme les mots : je découvrais qu'on se souvient.

Cela importe peu; l'emphase ne m'avait pas encore gâté. J'avais une tirelire, un classique cochon rose touchant et ridicule, avec lequel je jouais longtemps sur les draps, fasciné et comme méfiant. On y avait mis quelques pièces de cent sous : cette richesse invisible, à moi attribuée au nom d'on ne sait quelles lois obscures, mais inutilisable, que je faisais tinter sur les flancs de faïence creuse, qu'était-ce donc de dérisoire et peut-être brutal ? J'étais d'autant plus déçu qu'il y avait dans l'armoire une autre tirelire, infiniment plus digne d'attention, interdite et mirobolante : c'était un petit poisson d'un bleu profond d'ardoise ou d'iris, frétillant dans la nage et leste, aux écailles apparentes que mes doigts sentaient quand en cachette je l'atteignais. Il y a dans *Les Mille et Une Nuits* des poissons malicieux et intraitables qui parlent, qui se changent en or, et dont les barbillons sont des sortilèges ; de sa pénombre de draps rêches, celui-ci m'appelait longtemps à voix basse comme un autre appelle, sur le bleu persique où la vague jette des génies que les galets bousculent, un petit pêcheur enturbanné. Je n'y devais pas toucher. Il était à ma petite sœur. Ma petite sœur était morte.

Une fois — étais-je plus malade, plus enjôleur et pressant, ou ma mère lassée décida-t-elle de me faire confiance, je ne sais —, j'eus le droit de jouer aussi avec le poisson. À la joie de me le voir céder, fit place bientôt un trouble grandissant : cette tirelire différait de la mienne. Ainsi donc, ma sœur était devenue un petit ange et m'avait abandonné ici-bas, dans ce monde peu utilisable ; elle n'existait que sur des lèvres émues et sur une seule photo inexpressive et froidement joufflue comme un putto, et moi il me fallait durer. Le ciel pur régnait au-dehors, je m'absentai, une de mes mains s'ouvrit ; le petit poisson se brisa sur le plancher. Ma mère pleurait en balayant les débris de faïence bleue qui plus jamais n'auraient de forme que dans sa mémoire, et la mienne.

Plus tard, dans la chambre de ma mère encore à l'occasion d'une autre maladie, et cette fois à n'en pas douter l'hiver, à l'heure où l'on débat audedans de soi si l'on doit allumer les lampes, se poursuivre ou s'abandonner, une fois encore s'ajourner, je fis la connaissance d'Arthur Rimbaud. Je crois, Dieu me pardonne, que c'était dans l'*Almanach Vermot*, que Félix chaque année se procurait, et qui proposait alors, au-dessous des pauvres vignettes humoristiques qui faisaient sa renommée, des chroniques frivoles de littérature ou de politique, de géographie, toutes choses qu'on n'allait plus tarder à appeler, dans les chaumières même, la culture. L'article était illustré d'une mauvaise photo de fin d'enfance où Rimbaud comme toujours boude, mais paraît ici plus fermé s'il se peut, obtus et indécrottable, attifé et désordre comme l'étaient sur les photos de groupe mes camarades d'école lourdement venus au matin de la nuit des plus lointains hameaux, de Leychameau ou de Sarrazine, ces lieux fabuleusement perdus où le deuil est plus inopérant, l'espace plus vide et le gel même plus cru sur des mains toujours rouges, gourdes. Je connaissais cette douceur idiote et ces tics noirs, nous étions assis sur le même banc. Le titre aussi m'attira, que je lus par erreur : « Arthur Rimbaud, l'éternel enfant », quand c'était « l'éternel errant » qu'il fallait lire ; je ne réformai ce lapsus que beaucoup plus tard ; mais laissons cela. Non, cette chair bougonne ne m'était pas plus inconnue que l'enfance ardennaise maladroite que le pigiste romançait. J'avais d'autres Ardennes par la fenêtre, et mon père, s'il n'était pas capitaine, s'était enfui comme le capitaine Frédéric Rimbaud ; j'avais au moulin de Mourioux, plus enterré que ceux de la Meuse, lâché en mai des bateaux frêles, peut-être déjà lâché ma vie ; l'air immobile m'arrachait des larmes, j'avais pour passions sœurs la pitié et la honte. D'autres points de l'article me laissèrent perplexe mais exalté dans le projet d'un jour résoudre ces énigmes, me rendre digne du modèle abrupt qui venait de m'être révélé : qu'était-ce donc que cette poésie féroce peu assortie aux récitations domestiques ânonnées les matins d'école dans la première flambée, cette poésie pour laquelle, paraissait-il, on quittait à grand dam sa famille, le monde, soi-même à la fin, et qu'elle-même on jetait au rancart par amour d'elle, qui vous faisait pareil aux morts et superlativement vivant ? Puis, Rimbaud avait une sœur qui en dépit de tout l'avait aimé, de loin servi, tutélairement veillé si loin de Charleville dans les dernières sueurs et les derniers reniements, mais l'ange cependant c'était lui, lui-même. À lui seul, grand garçon pourtant quoique amputé de tout, un pigiste obscur accordait là l'épithète entre toutes angélique, qui m'avait jusqu'alors paru réservée aux petits morts — aux petites mortes —, à une sépia fatiguée, à quelque chose sous la terre de poignant et terrible que des fleurs apaisaient, là-bas dans Chatelus.

Allons, il faudrait bien faire l'ange, un jour, pour être aimé comme le sont les morts. Mais si je tardais trop, qui m'aimerait alors ? Je regardais le feu en pleurant, j'appelais ma mère, lui faisais jurer que mes grands-parents ne mourraient pas. Vieux cadavres aujourd'hui ils sont bien sagement allongés près de l'ange en sa petite boîte, un peu sous Chatelus, ils n'ont plus d'yeux pour me voir pousser des ailes ; bien peu de fleurs de ma main les apaisent, les saisons qui défont leurs vieux os émoussent mon vouloir, j'écris des récitations d'école primaire et je sais qu'un soir d'hiver, dans une chambre dont le souvenir s'efface, entre les maigres pages de l'*Almanach Vermot* qu'eux aussi lisaient, je me suis tendu un piège dont les mâchoires se referment.

Enfant j'ai su que d'autres enfants mouraient ; mais ceux-là ne m'avaient pas précédé dans un envol magistral, ils n'étaient pas que légende, je les avais côtoyés et savais que nous étions faits de la même pâte ; je doutais qu'ils devinssent, comme on m'en assurait, des anges à part entière. Tout changeait pourtant à leur sujet dès qu'immanquablement ils allaient mourir. Du jour au lendemain ils étaient, dans l'agonie, dans ce qui vient pour toujours, d'horrifiants ouï-dire encore vivants ; Élise et Andrée les évoquaient à voix plaintive et basse, je faisais mine de jouer, j'épiais : quel était ce respect soudain dont, hier infimes, ils bénéficiaient, ces voix amorties à mon approche comme lorsqu'on parlait de femmes légères, de dettes inexpiables, de mon père léger et inexpiable ? Puis dans la cuisine un voisin entrait plus lentement ou théâtralement que de coutume, le regard voulait en dire long, ou Félix investi de grandeur fugace drainait du bistrot la nouvelle absolue, l'hiver était plus vaste ou l'été plus bleu, l'enfant n'était plus. Dans le tremblement bleu des lilas, dans la neige qui miraculeusement choit de rien, je cherchais d'irrécusables vols.

Un enfant de Sarrazine mourut du croup. Il était bien étonnant que ce rouquin doux et archaïque, tout pétri du sommeil rural dont son lieu-dit dormait, cette borne à qui j'avais tristement donné des taloches, fût désormais de la cohorte ailée, doué d'un corps d'air épais. Suffisait-il, floué déjà, de l'être à jamais par la mort, pour s'envoler ? La petite Bernadette, ma cousine des Forgettes, eut un mal terrible ; j'avais joué souvent avec elle et sa sœur sous le très grand arbre dont les feuillages criblaient de dansantes lueurs leurs visages perdus et leurs robes claires, au seuil de leur ferme énorme affrontée aux grands bois, et la fausse monnaie du souvenir me les rend aujourd'hui semblables aux petites cousines tour à tour gaies et austères qui passent et fuient dans *La Porte étroite*, comme à cache-cache. Nulle ombre d'été ne l'apaiserait plus ; elle saignait, elle suppliait, elle savait qu'elle mourrait. Élise qui faisait le chemin à pied pour la veiller et supportait que ce regard terrifié la sommât, que cette main neuve et déjà nulle s'aidât pour n'être plus d'une vieille main vivante, Élise rentrait les matins offensée et muette, résignée. Enfin l'issue fut fatale, l'enfant était une insupportable plaie qu'il fallait réduire au silence ; Élise nous pria, le soir, de quitter la cuisine et de nous coucher aussitôt, elle avait à faire : elle connaissait en effet de vieux combats sorciers, de quel temps venus, pour arrêter le sang des femmes ou juguler la nue dont la foudre marche sur les meules, damer le pion des dieux cornus qui abattent par dix les bœufs et font tourner les brebis jusqu'à la mort, atermoyer l'inévitable, enfin en toute circonstance fatale faire quelque chose, comme on dit quand il n'y a plus rien à faire ; tout cela, que des femmes s'étaient transmis pendant des siècles et qu'Élise sagement ne transmit point, tenait en des prières bonhommes et inopérantes, quelques aspersions d'eau de Lourdes et une pantomime simplette que je n'ai jamais vue, mais en laquelle je crois voir lutter la bonne volonté d'Élise toute courbée et têtue, fragile, incrédule. Pour conjurer les saignements, et par décision mimétique sans doute, je sais qu'il fallait à ma grand-mère beaucoup d'eau dont elle contrôlait le flux sans trop croire que le flux rouge là-bas lui obéît, mais dont elle poursuivait bravement la métaphore, comme on accomplit un devoir ; elle offrit donc ce soir-là des libations mystérieuses, entre le robinet de la cuisine et la table de formica, à des saints désuets et empotés. La leucémie ne s'en laisse pas conter, elle n'est pas sorcière, Élise le savait bien : aux Forgettes l'enfant mourut un matin que le soleil dansait sur la façade énorme, dans de grands cris. Ange elle devint, elle aussi, ou souche enfin muette dans le cimetière de Saint-Pardoux où flambent des buissons de pluie d'or, des genêts en été.

« La pauvre petite », dit-on d'elle désormais, comme on disait : « ta pauvre petite sœur ». À Mourioux en effet, comme peut-être plus généralement chez les modestes que ces pages complaisantes trahissent, on répugne à dire mort, défunt, disparu ; feu Untel même est rare ; non, tous les morts sont « pauvres », grelottant on ne sait où de froid, de faim indécise et de grande solitude, « les morts, les pauvres morts », plus fauchés que des clochards et plus perplexes que des idiots, tout déconcertés, empêtrés sans un mot dans une tracasserie de mauvais rêve, et qui ont l'air si terribles sur de vieilles images quand ils sont si doux, bénins et égarés dans le noir comme des petits poucets, à jamais les derniers des derniers, les plus petits des petites gens. Cela, je le concevais volontiers : quand nous allions au cimetière de Chatelus, je voyais bien, à l'air consterné des femmes, à la lourde réprobation de Félix qui ôtait sa casquette, que quelqu'un devait avoir bien de la peine, là-dessous ; quelqu'un qui aurait voulu être là et ne le pouvait pas, que quelque chose retenait âprement, comme ces cousins lointains qui chaque année vous écrivent leur grand désir de vous revoir, mais le voyage est si long, le peu d'argent les arrête, la meule de leur vie de plus en plus fermement les tient là et les broie, enfin par vergogne ils se taisent, on perd leur trace. Je m'occupais ; j'allais chercher de l'eau pour les fleurs, emplissais de terre bonne à la main les pots, enfouissais sournoisement mon visage dans la poudre d'éternité des chrysanthèmes ; c'était souvent l'hiver ; l'église était haute sur la colline haute du cimetière, le clocher et le ciel dans un même gris s'élançaient dans mon cœur, et comme riches à l'œil étaient les vallées, combien vive ma course imaginée vers elles, et puissants le cri net d'une branche piétinée, l'éclat de rire du visible multiplié dans les flaques ; j'aurais bien voulu vivre. Le vécu, l'évanoui, m'accueillaient quand je revenais portant mon broc d'eau à bout de bras pour ne pas éclabousser ma culotte du dimanche, et me rappelaient à l'ordre l'arpent de gravier que des mains lentes fleurissaient, le sel à poignées jeté comme sur une ville morte, et dans la huée d'un corbeau l'appel navrant là-dessous, plus bas que le sel et les fleurs dont ténébreusement elle se nourrissait, de la petite muette, l'obscure, l'ensevelie, ma sœur. Mais quoi, c'était un ange aussi ? Oui, la vie de l'ange était ce malheur. Le miracle, c'était le malheur.

À regret enfin nous marchions entre les tombes, nous descendions le raidillon. En contrebas le village entier s'offrait à mes yeux, le beau Chatelus tout en pentes où il y a de grosses maisons vieilles, des ombres calmes et des mousses ; mais ce Chatelus était un trompe-l'œil, le vrai était derrière nous ; le vrai, c'était celui qu'appelait de ses vœux Félix harassé et désoccupé à Mourioux, doucement déçu, quand il disait : « quand je serai à Chatelus ». Je prenais sa main, son odeur de velours épais me rassurait, et s'il se penchait je sentais sur ma joue son gros souffle. Ma mère, ma grand-mère, me montraient chaque fois l'école où elles apprirent à lire ; des souvenirs leur venaient, des mots, et avec eux les morts, les petites filles mortes dont elles tirèrent les nattes et les morts folâtres qui leur firent la cour, les morts étonnants qui vécurent ; ceux-là aussi s'étaient obscurcis derrière nous. Souvent nous allions aux Cards dans la même journée, et s'il faisait beau à pied, par les châtaigniers que l'automne hérisse ou les flambées d'or d'été, par des sentiers d'oiseaux. On arrivait inopinément dans les terres plus saintes, les terres des Cards qui seraient à moi un jour, on me l'affirmait avec amour et comme une pitié fugace, et l'émotion de Félix me confirmait que ces champs étaient d'une autre nature en laquelle il fallait voir plus vif l'éclat des genêts, plus grande l'impatience des herbes. Enfin une vive musique dansait en moi, mon ombre m'enivrait, la maison apparaissait dans son bosquet, ses lilas, son passé raconté, la maison qui déjà lentement s'enfouissait sous d'inutiles saisons sans récoltes et ne renfermait plus dans ses murs vides que le temps rongeur ; qu'importait. Je serais grand et aurais de l'argent pour la restaurer ; j'émonderais la glycine ; dans le petit jardin où Élise se lamentait sur des ronces, on me lisait un avenir de giroflées et d'hortensias ; ici

235

des enfants joueraient et le futur triomphait : j'y viendrais en vacances et m'y louerais de réjouir les vieux morts. Félix ne mentait pas : il est bien à Chatelus ; à la croisée d'un chemin vers Séjoux, en vue d'un hameau dormant, nul ne désigne plus la terre de Gayaudon, où l'herbe est patiente : la propriété a été vendue à vil prix pour que se poursuive mon existence infime. La maison me demeure ; mon amour pour elle n'a pas décru. Une glycine morte s'y désespère ; la tempête et mon incurie ont tout ruiné ; les essences rares qu'avait pour moi plantées Félix s'effondrent une à une sur les granges, il y a des craquements brusques et des érosions lentes ; les grands vents jettent des ardoises ivres aux flancs des marronniers, l'eau morte s'amoncelle où les vivants dormaient, des portraits choient et au fond des armoires d'autres sourient dans le noir à l'oubli qui les comble, des rats crèvent et d'autres viennent, patiemment tout se défait. Allons, tout est bien ; les anges miséricordieux passent dans un vol d'ardoise, se brisent et renaissent dans l'air bleu ; ils écartent la nuit des toiles d'araignée, près des fenêtres cassées regardent lune après lune des photos d'ancêtres dont les noms leur sont connus, entre eux suavement chuchotent et peut-être rient, bleus comme la nuit et profonds, mais cristallins comme une étoile ; qu'ils jouissent de mon héritage inhabitable ; le miracle est consommé.

Ma sœur naquit en 1941, en automne je crois, à Marsac où mon père et ma mère étaient en poste ;

il y a à Marsac une petite gare et un grand moulin, l'Ardour y coule en aval de Mourioux, y vivent des Chatendeau, des Sénéjoux, des Jacquemin, qui font cadeau de pommes et vieillissent dans des jardinets; j'y allais avec ma mère à vélo, étant petit: elle était bien jeune encore, peut-être mon souvenir la conserve-t-elle, gentiment pédalant un matin en robe claire, dans les taches dorées du plein été — et comme elle est seule, avec ce fils bavard qui va trop vite. Dans ce lieu donc ils conçurent, lui, l'homme à l'œil de verre, l'homme créé faillible et s'acceptant tel, l'énigmatique chef borgne de quelles légions d'oubli, qui peut-être vit encore ou peut-être ne vit plus, et elle, la paysanne des Cards d'une autre façon faillible et ne croyant pas que chose lui fût due, effarouchée et gaie, depuis toujours et pour toujours enfant. C'était pendant la guerre, au bout des chemins des colonnes allemandes terribles et mornes lentement roulaient, que les gens des hameaux regardaient avec les yeux exactement dont leurs ancêtres regardaient chevaucher les grandes compagnies, l'ost du Prince Noir, des yeux antiques, crédules et fabulateurs; le maquis avec ses jeunes spectres courait les bois, brouillait les aiguillages, faisait sauter des convois et voler des tocsins, ébranlait la nuit vers Marsac. Ma mère avait d'autres soucis que cette guerre incompréhensible et bruyante, où on ne savait qui mentait: le chef borgne courtisait çà et là, mentait et pourtant l'aimait sans doute, buvait sec; elle attendait sans trop y croire un premier enfant, elle qui se pensait toujours aux

Cards petite fille moissonnant, s'émouvant et riant des riens qui là-bas trament le langage et font une vie : une moustache dessinée au charbon sur un minois et on ne vous reconnaît plus, si on mange son goûter dans le grand pré l'été à côté de la source le chocolat est bien meilleur, ou encore la jument cagneuse et infatigable du grand-père Léonard le ramène ivre d'une foire, et mon Dieu comme il est drôle, titubant sous sa pelisse en poil de chèvre, que sais-je encore. Le terme fut proche et aux Cards sur le vieux seuil la vieille se mit en marche avec son bâton, coupa à travers bois par le Châtain où la petite-nièce d'Antoine pleine d'âge et de sourires lui ouvrit des sardines, puis par Saint-Goussaud et la pente ombreuse d'Arrènes, et dans sa poche elle avait la relique, l'inexpugnable legs des Peluchet, leur fardeau d'impuissance, leur gri-gri accoucheur ; et puisque c'était l'automne Élise foulait des bruyères neuves, des digitales hautaines, violettes et crossées comme des évêques, et puisqu'elle était gaie et sans illusions, elle souriait doucement. L'enfant naquit entre Élise, la relique et un médecin de campagne vieille France, dans l'école de Marsac. Cette fille s'appela Madeleine.

Elle avait de grands yeux bleu sombre — venus de Clara assurément, Michon née Jumeau — et, disait-on comme on dit toujours, eût été jolie. On la porta à Marsac dans des jardinets où des pois de senteur distrayaient les pommiers, le panache passant des locomotives l'appela, ses mains se tendaient vers le lointain et ne savaient cueillir le proche; on la porta aux Cards, le noir dense la couvrit sous le marronnier, on la posa un instant sur le vieux seuil et un verbe patois obscur sur sa tête mêlé à la clarté de ciel des glycines offrit à son étonnement une langue angélique qu'au loin reprenaient en écho les ombres cézanniennes, lucides, peuplées d'appels, des bois clairs à cinq heures de l'après-midi; les scènes dites primitives qui l'effleurèrent n'eurent pas le temps d'entamer cette harmonie superbe. Peut-être passa-t-elle une fois à Mourioux, mais elle était endormie dans l'autobus, ou bien sa petite joue riait contre la joue de notre mère, elle ne vit pas le clocher abrupt, les panonceaux dorés et l'éternel tilleul, l'enfance inexpiable et ici enterrée du rival qu'elle ne connaîtrait pas, son frère. Les mains de Félix étaient trop grandes et maladroites, elle s'effrayait, et sur sa figure persistait ce gros souffle aimant; Eugène soufflait de la sorte et avait des mains grosses aussi; Aimé la prenant riait d'un œil, mais l'autre était obscur, distant et implacable, céleste : elle eut le temps peut-être d'apercevoir que les mâles sont sans force, tout en poigne mais ne serrant là que le lointain, non les langes mais le nom, et que la chair profondément les ennuie, la chair toujours agitée qu'ils observent pourtant et tentent bien droitement d'aimer, tout empêtrés qu'ils sont dans la tâche d'ajuster le visible à leurs songes et de cette adéquation faire une ivresse enfin, mais immanquablement ils dessoûlent, l'enfançon pleure et la mère s'exaspère, ils sortent et tirent doucement la porte, sur le seuil dégrisés se payent de

239

pauvre jactance, olympiens et perdus regardent leur ciel et leurs bois, une fois encore font l'ange, vont boire. L'enfant dort quand ils reviennent.

Elle ignorait son nom et le monstre d'insuffisance qu'est un nom, et sa propre image ne lui avait pas encore dérobé le monde, qui n'est pour nous que la garde-robe où vêtir notre image ; elle eut mal soudain et ne sut le dire : cette douleur même lui sembla ne différer point de l'universelle harmonie dont elle était un des points d'orgue, comme le ciel trop bleu, la mère qui revient ou la nuit toute noire, plus vibrante seulement, plus aiguë et proche d'une insupportable source, dans la fièvre d'un nourrisson dont le délire sans mots et bouillant de larmes nous est à jamais incompréhensible, aussi refusé et peut-être miraculeux que le dernier étage de chœurs qui ceint le trône du Père. C'était dans une grosse chaleur de juin ; une torpédo de ce temps-là vint de Bénévent et le docteur Jean Desaix en descendit, chaussures bicolores et costume clair, inutile et beau comme un prêtre ; paternel et vieille France il pencha sur le berceau son nœud papillon, palpa cette chair agitée et bien droitement l'interrogea, rien ne lui répondit que le vieil ennemi insondable, indifférent ; il prescrivit pour la forme ; dans le cœur navré de ma mère, la torpédo rutilante fit demi-tour sur le gravier de la cour, s'élança. Le point d'orgue si longtemps tenu se brisa, il y eut un hoquet peut-être ou un envol d'yeux morts, dans l'exultation ou une inconcevable terreur sans pensée la chair se retira de l'été, quelque chose plus étroitement se lia à l'été : Madeleine mourut le 24 juin 1942 au matin, jour de la Saint-Jean, dans la chaleur immense qui se levait sur Marsac, quand le pur éther règne en tyran dans la gorge des coqs, en larmes radieuses s'éparpille, bout dans le cœur d'or des lys, et de là rejaillit au trois fois saint soleil.

Alors à nouveau les vieux vinrent des Cards, et de Mazirat les autres vieux, les premiers en carriole et les seconds en Rosalie ; et peut-être se demandaient-ils à part soi quel sang noir s'était là révolté, quelles justes vengeances n'avaient fait de ce petit corps qu'une bouchée, quelle fille d'Atrée paysan on avait mangée. Et dans la côte raide de Villemomy Félix, rênes en main avec son chapeau noir, buté, injuriant le cheval, pensait que c'était là les Gayaudon qui expiaient, et sa légèreté à lui, son goût d'ancien dragon pour l'apparat facile, les alezanes, les buffleteries, les roses, son agronomie farfelue qui déjà ruinait les Cards ; et les vieux Mouricaud revivaient dans Élise, Léonard l'ancêtre se levait tout droit sous les ombrages, disparaissait dans un cahot, dans un essaim de mouches d'or avec vindicte murmurait, le fondateur au cœur sec qui sou par sou avait acheté les Cards, l'homme qui sur son unique portrait tenait en sa main un portefeuille, assis comme un iguane patient, moustachu, entre Paul-Alexis et Marie Cancian, le fils et la femme de part et d'autre debout, pour la gloire du seul tyran posant, souriants, incertains et flous, Léonard qui aimait l'or et sa jument et détestait les hommes ; et d'autres ombrages brusquement poussaient dans le jour les fils prodigues et voyous, Dufourneau le tacite et Peluchet le parricide, ébouriffés comme des Jean-Baptiste, et les érinyes vertes du sous-bois souf-flaient leurs cheveux d'outre-tombe. Là-bas à l'autre bout dans le teuf-teuf fêlé déjà de la patache que je connus, en passant vers Chambon sous le porche duquel les vieillards de l'Apocalypse bonnement tiennent des harpes naines, Clara savait que le vieux Jumeau, l'intraitable maître de forges de Commentry qui affama des hommes et se ruina pourtant, le vieillard d'apocalypse et de fon-derie qui déjà au fils avait pris un œil, recevait en dette posthume ce petit cadavre pour enténébrer encore l'enfer où depuis un quart de siècle il hur-lait; et d'Eugène qui pleurait et était le plus sur-pris, je ne connais pas les pensées : des habitants précaires du nom que je porte je ne sais rien au-delà de lui, sinon qu'ils étaient pauvres et affairés, que les femmes somnambuliques faisaient des ménages et en rentrant des scènes, et que les hommes inaptes s'enfuyaient dans la jactance et les bistrots, s'enfuyaient pour de bon. Eugène donc, aviné et doux, regardait par la vitre le blé jaunir, se rappelait, et lui aussi découvrait sa lignée assez riche pour produire ce mort en herbe. Ainsi tous ces vieux fils d'Adam débarquèrent-ils à Marsac, et peut-être en même temps, titubants et navrés s'étreignirent, gros velours contre gros velours, le petit œil bleu noyé de Félix contre l'œil bleu brûlant et sec de Clara, sous leurs grosses semelles crissa le gravier chaud de la cour, les voilà qui ont passé la porte, elle se ferme sur leurs secrets de polichinelle et leurs chagrins malhabiles, ineptes mages autour d'un enfant mort. L'été rit dans les tilleuls, l'ombre se penche sur la porte close, tout change doucement.

Puis, en cette saison de lys, les couronnes de lys tressées par les enfants de l'école, et dans l'église de Marsac l'irrespirable odeur blanche, dépravée comme l'été, le triomphe d'orgues des repoussants calices, et suaves, cléricaux, mêlés au moisi riche des vieux murs ; le petit cercueil voguant sur cette *unda maris*, la paysanne jeunette au bras du chef borgne, défaillante ; Élise toute bossue ; les passes du curé, l'auditoire de mangeurs de raves, toutes choses déjà dites ; et dans la carriole de nouveau le petit spectre fleurdelisé qui cahin-caha roule par des chemins perdus à la rencontre de ses pairs, l'été lui souriant, des essaims de mouches d'or lui prê- tant voix, et sous les ombrages épais en remontant vers Arrènes, Saint-Goussaud, la haie encore des fondateurs, des saboteurs, ceux qui furent incarnés et œuvrèrent, Léonard assis tranquille sous le chêne de Lavaux qui compte quelque chose et ne lève pas les yeux, les Peluchet changés en pierres et de leur vivant pierres à la croix du Châtain, tous les autres massés et d'un bleu de glycine aux Cards qu'on voit là-bas devant une maison proprette, et Chatelus enfin, où les chemins mènent.

Si en quelque façon, pour peu que j'écrive son nom, Léonard court les chemins nocturnes, bourse trébuchante dans sa pelisse de chèvre, entre le chêne de Lavaux et les fonds de Planchat ; s'il a quelque commerce avec les Beaux Impassibles qui batifolent dans les Cards éventrés, qui savent tout et de tout se réjouissent jusqu'au chant ; s'il leur jette gentiment des louis qui sur le seuil tintent, comme je leur jette à cet instant ces lignes ; s'il survit un peu en moi, ainsi que les contes de filiation nous le font croire, il sait ce qui suit : trois ans après cette débauche de lys, Andrée et Aimé m'engendrèrent ; deux ans plus tard le chef borgne comme un pirate prit le large, et dans l'absence désormais, plus lointain que ceux dont « à Chatelus » on vérifie la faillite, céleste, paternel magistralement, il régna sans partage, scandant ma vie creuse comme arpente le pont d'un navire truqué le pilon de Long John Silver, dans *L'Île au trésor* ; en 1948 la porte des Cards se referma derrière Félix en déroute, le vieux vaisseau commença de pourrir, des frôlements le peuplèrent ; Élise et Félix disparurent vers 1970 : la tombe de Chatelus est pleine, la dalle moussue ne s'ouvrira plus sur le jour qu'au Jugement dernier, et je veux croire qu'Élise jeune et sans bosse en sortira, une fille nouveau-née entre ses bras ; à la même heure peut-être à Saint-Goussaud, me levant rajeuni d'entre les Pallade, les Peluchet et d'autres spectres anonymes, je saurai comment de mon vivant j'aurais dû écrire pour qu'à travers l'emphase qu'en vain je déploie, un peu de vrai vienne au jour. En attendant, j'ai à peu près l'expérience d'un enfant mort sans langage : mais je n'ai pas commerce avec les anges.

Je l'ai vue pourtant une fois, à Palaiseau, en juillet 1963. J'allais partir pour l'Angleterre où m'attendaient un ami, des filles rêvées considérables et des horizons plus savoureux encore que de ce côté-ci. J'étais reçu dans le pavillon de cousins lointains et gais, stoïques, qui déjeunaient sur l'herbe entre les autoroutes et les essors fracassants d'Orly proche ; j'espérais ; je voulais tout embrasser. Un après-midi dans le jardinet, seul, je m'enivrais de choses radieuses : la jeunesse commencée et incommensurable encore, l'émoi tout neuf du vin et des femmes, le ciel d'été ouvert à mon désir et comme lui brûlant, et les objets de mon désir assurément aussi vrais, parfumés, profus et à merci froissables que ces fleurs de banlieue que ma main déchirait ; le ciel tout entier je l'aurais voulu prendre par un bout et tirer à moi, avec ses fleurs fraîches et ses mirages d'immeubles, ses bleus qui changent, ses avions là-haut et la pulpe de nuages que derrière eux ils laissent pour jouer avec le soir dans les yeux des vivants, le ciel depuis les côtes de Massy jusqu'à l'Yvette où il sombre, je l'aurais voulu rouler ainsi qu'un parchemin, comme le roule en personne l'ange bibliophile du Jugement, quand tout est écrit, quand l'œuvre universelle se clôt et que chacun sur ses œuvres est jugé : jouir de tout et tout écrire pourtant, je le voulais, je le pourrais. Des hirondelles passaient. Je tourbillonnais dans cette ivresse, mes yeux s'arrêtèrent : du jardin voisin, si proche qu'en tendant la main j'aurais pu la toucher, me regardant droit, attentive et

245

ferme mais à la merci d'un souffle, à la limite de l'ombre arrêtée parmi les giroflées et les pois de senteur, si loin de Chatelus pourtant, elle m'observait. C'était bien elle, « la petite morte, derrière les rosiers ». Elle était là, devant moi. Elle se tenait bien naturelle, elle profitait du soleil. Elle avait dix ans d'âge terrestre, elle avait grandi, moins vite que moi il est vrai, mais les morts ont le temps de s'attarder, nul désir effréné de leur fin ne les tire plus en avant. Je la tins avec passion dans mon regard, le sien un instant me porta; puis elle tourna les talons et la petite robe dansa dans la lumière, elle s'en alla sagement, à pas menus et décidés, vers un pavillon à véranda; les petits pieds sérieux frappèrent le sable de l'allée, s'évanouirent sans que j'entendisse trotter les espadrilles dans l'énorme fracas d'un boeing décollant, toutes les parois de l'air sous lui trébuchantes, l'été embrassant ses flancs d'argent, les fils invisibles et passionnés de la machinerie céleste l'enlevant à corps perdu vers le paradis très haut et vague, derrière les H.L.M. Dans ce gros tonnerre elle tira sur elle la porte. Les rosiers en feu ne bougeaient pas.

Je m'envolai pour Manchester; rien n'y fut considérable; j'y tins mon premier carnet, et cet événement est le premier que je rapporte. L'âge tendre est plein de hâbleries, mais celle-ci n'en était pas tout à fait une : ma sœur, oui, cette enfant m'apparut bien telle à l'instant même que je la vis; je la reconnus et la nommai avec la même tranquille certitude que je nommais sous ses pieds des giroflées et autour d'elle de la lumière; et je ne saurais dire par quelle aberration, qui fut à mes yeux d'alors une évidence, une fille d'ouvriers banlieusards en robe d'été prêta corps au paradigme de toutes les disparitions, à leur surgissement parfois dans l'air qu'elles épaississent, dans les cœurs qu'elles blessent, sur la page où opiniâtres et toujours dupes elles battent de l'aile et frappent à des portes, elles vont entrer, elles vont être et rire, elles retiennent leur souffle et suivent en tremblant chaque phrase au bout de laquelle peut-être est leur corps, mais même là leurs ailes sont trop légères, un adjectif épais les effarouche, un rythme défectueux les trahit, terrassées elles choient infiniment et sont nulle part, revenir presque éternellement les tue, elles se désolent et s'enterrent, derechef sont moins que des choses, rien.

Qu'un style juste ait ralenti leur chute, et la mienne peut-être en sera plus lente ; que ma main leur ait donné licence d'épouser dans l'air une forme combien fugace par ma seule tension suscitée ; que me terrassant aient vécu, plus haut et clair que nous ne vivons, ceux qui furent à peine et redeviennent si peu. Et que peut-être ils soient apparus, étonnamment. Rien ne m'entiche comme le miracle.

A-t-il bien eu lieu ? Il est vrai : ce penchant à l'archaïsme, ces passe-droits sentimentaux quand le style n'en peut mais, cette volonté d'euphonie vieillotte, ce n'est pas ainsi que s'expriment les morts quand ils ont des ailes, quand ils reviennent dans le verbe pur et la lumière. Je tremble qu'ils s'y soient obscurcis davantage. Le Prince des

Ténèbres, on le sait, est aussi le Prince des Puissances de l'air; et faire l'ange fait son jeu. C'est bien; j'essaierai un jour d'une autre façon. Si je repars à leur poursuite, je délaisserai cette langue morte, en laquelle peut-être ils ne se reconnaissent point.

À leur recherche pourtant, dans leur conversation qui n'est pas du silence, j'ai eu de la joie, et peut-être fut-ce aussi la leur; j'ai failli naître souvent de leur renaissance avortée, et toujours avec eux mourir; j'aurais voulu écrire du haut de ce vertigineux moment, de cette trépidation, exultation ou inconcevable terreur, écrire comme un enfant sans parole meurt, se dilue dans l'été : dans un très grand émoi peu dicible. Nulle puissance ne décidera que je n'y suis en rien parvenu. Nulle puissance ne décidera que mon émoi en rien n'éclata dans leur cœur. Quand le rire du dernier matin frappe Bandy ivre, quand dans un bond les cerfs fictifs l'enlèvent, j'étais là certes, et pourquoi en retour n'apparaîtrait-il pas éternellement, ces pages fussent-elles enfouies à jamais, dans le pain qu'on le voit ici même consacrer, dans le geste décisif dont ici même il ramasse sa soutane avant d'enfourcher une moto, inconsolé mais souriant, pétaradant au grand soleil, dans le vent de la grand-route ébouriffé, se rappelant? Je crois que les doux tilleuls blancs de neige se sont penchés dans le dernier regard du vieux Foucault plus que muet, je le crois et peut-être il le veut. Qu'à Marsac une enfant toujours naisse. Que la mort de Dufourneau soit moins définitive parce qu'Élise s'en souvint ou l'inventa ; et que celle d'Élise soit allégée par ces lignes. Que dans mes étés fictifs, leur hiver hésite. Que dans le conclave ailé qui se tient aux Cards sur les ruines de ce qui aurait pu être, ils soient.

DU MÊME AUTEUR

Aux Éditions Gallimard

VIES MINUSCULES, 1984 (Folio nº 2895). Prix France Culture 1984.

RIMBAUD LE FILS, 1991 (Folio nº 2522).

VIE DU PÈRE FOUCAULT suivi de VIE DE GEORGES
BANDY, textes extraits de VIES MINUSCULES, 2005 (Folio
2 € nº 4279).

Dans la collection « Écoutez lire »

VIES MINUSCULES (2 CD).

Aux Éditions Verdier

VIE DE JOSEPH ROULIN, 1988.

MAÎTRES ET SERVITEURS, 1990.

LA GRANDE BEUNE, 1996 (Folio nº 2522). Prix Louis Guilloux.

LE ROI DU BOIS, 1996.

MYTHOLOGIES D'HIVER, 1997.

TROIS AUTEURS, 1997.

ABBÉS, 2002. Prix Décembre.

CORPS DU ROI, 2002. Prix Décembre.

L'EMPEREUR D'OCCIDENT, 2007.

LES ONZE, 2008. Grand Prix du roman de l'Académie française 2009
(Folio nº 5193).

Chez d'autres éditeurs

L'EMPEREUR D'OCCIDENT, illustrations de Pierre Alechinsky,
Éditions Fata Morgana, 1989.

LE ROI VIENT QUAND IL VEUT. Propos sur la littérature,
Albin Michel, 2007.

VERMILLON OU LE CHANT DU COUCOU EST LE CRI DE LA MÈRE MORTE, photographies Anne-Lise Broyer, *Verdier/Nonpareilles*, 2012.

Composition Interligne
Impression Novoprint
à Barcelone, le 9 février 2016
Dépôt légal: février 2016
Premier dépôt légal dans la collection: novembre 1996

ISBN 978-2-07-040118-5./Imprimé en Espagne.